A 2ND YEAR LATIN READER

ACTA MUCIORUM
BY MIMA MAXEY

ENCHIRIDION
PRESS

ENCHIRIDION PRESS
www.enchiridionpress.com

First published in 1942 by
D.C. Heath and Company

This edition published in 2017 by
Enchiridion Press

ISBN-10: 1-946943-01-0
ISBN-13: 978-1-946943-01-9

Printed in the United States of America

FOREWORD

Ācta Mūciōrum is tested material, designed to follow the first year texts of the series, *A New Latin Primer, Cornēlia, Carolus et Maria*. It is a narrative consisting of sixty chapters, the first forty of which are Latin written for the occasion. Chapters XLI–LII are simplified Caesar with connecting bridges. The simplification consists in the omission of certain sentences and phrases and in the substitution of more common words for certain less common ones. Chapters LIII–LX contain selections from Caesar's writings unchanged but for one excision necessary to fit material to the page. These chapters also contain connecting bridges. Selection of passages from Caesar has been made on the basis of human interest.

The vocabulary consists of 1497 words. Of these 537 were used in the first books of the series, and 93 are proper names. The new words of each chapter are given in a chapter vocabulary and are divided into classes, as in the earlier books of the series. In addition, there are provided a general vocabulary and a special vocabulary of proper names.

The text used for the passages from Caesar is chiefly that of Klotz (Alfred Klotz, *C. Iulius Caesar, Commentarii*, Berlin, 1921, 1926, 1927). In a few cases the reading of Meusel (H. Meusel, *C. Iulii Caesaris Commentarii De Bello Civili*. Berlin, 1906) has been retained. In view of the unanimous reading of the manuscripts, *nūllō*, dative singular of *nūllus*, has been retained in *B. C*. II. 7 in spite of the difficulty it may cause pupils and in spite of Caesar's use elsewhere of *nūllī*.

The author wishes to express her gratitude to her friends, especially to her friend and former colleague, Miss Mar-

jorie J. Fay, for encouragement and assistance in the prepa-
ration of this volume, and to Miss Elsie M. Smithies, head
of the Department of Latin in the University of Chicago
High School, and to other administrative officers there who
have made it possible to try out the material. She is especially indebted to Professor Gordon J. Laing, formerly
editor of The University of Chicago Press, for unfailing encouragement and assistance.

                                             M. M.

AUTHOR'S FOREWORD TO PUPILS

Salvēte, discipulī.

This is a story which has as its background the family of the Mucii, an authentic Roman family who made real contributions to the history of Rome. The inscription from the tomb of Q. Mucius Scaevola and the quotation from his lips are authentic. The members of the family appearing in this story are, of course, imaginary. I hope that you will enjoy this story and through these chapters arrive at some understanding of the manner of life and the interests of the Romans. Especially I hope that after this introduction to Caesar you will care to read more of the things that the Romans themselves have written.

Valēte, discipulī.

TABLE OF CONTENTS

EXTERIOR OF HOUSES AT HERCULANEUM, 1935

ĀCTA MŪCIORUM

I

Ōlim per viam lātam Rōmae properābat quīdam vir.
Clārus vir erat cuius nōmen nōtum erat per multās terrās.
Māne ad Forum ībat, in quō locō etiam nunc multī eum
exspectābant. Multī quī eum exspectābant erant hūmilēs.
Aliī auxilium huius virī rogābant quod contrōversiae cum
fīnitimīs ortae erant. Aliī temere sē gesserant, perīculum
nōn prōvīderant, nunc in perīculō erant. Hī perturbātī
concursābant quod cōnsilium huius virī dēsīderābant. Sīc
hic vir per multōs annōs prō cīvibus suīs labōrāverat, et
iam magnus erat numerus eōrum quī eum amīcum petēbant
sī auxilium cupiēbant. Nunc, ut per viās ad Forum ībat,
dē gravibus rēbus putābat. Oculī erant maestī et caput
vir nōn altum ferēbat.

"Quam dūrae sunt fortūnae hominum!" inquit vir.
"Quam magnae sunt cūrae! Numquam est pāx!"

Tum, dum prope iānuam apertam ambulat, audīvit vōcēs
laetissimās. Iterum atque iterum laetī clāmōrēs puerōrum
oriēbantur. In eōdem locō vir mānsit et mox ipse quoque
rīdēbat. Puerōs vidēre nōn poterat quod in interiōre aedificiō puerī erant. Vir nōn diū mānsit. Ut iit, sēcum hoc
dīxit: "Aliquis laetus est. Nōn omnēs maximās cūrās
habent. Valēte, puerī laetī. Semper laetī sītis!"

Ante hoc aedificium erat nōn modo nūllum grāmen, nūllus flōs, nūlla arbor, sed etiam nūllum spatium. Aedificium, simile multīs aedificiīs quae in nostrīs urbibus vidēmus, prope viam erat. Post magnam iānuam erat locus ubi sedēbat servus, quī iānitor appellātus est, cuius mūnus erat iānuam cūrāre. Mūnera iānitōrum Rōmānōrum, scīlicet, nōn erant similia mūneribus iānitōrum nostrōrum. Post hunc locum erat locus pulcherrimus et amplissimus, ātrium appellātus, ubi dominus amīcōs salūtābat. Post ātrium erat angusta via quae ad hortum magnum dūcēbat. Pulcher erat hic hortus, quī peristȳlium appellābātur. Ibi erant arborēs — nōn silva, scīlicet, sed tamen satis magnus numerus arborum — et flōrēs et grāmina. Ibi autem erant statuae fontēsque, omnēs rēs īnsignēs quās dominus per multōs annōs invenīre potuerat. Nōn sōlum ex Italiā sed etiam ex aliīs gentibus hae rēs portātae erant; dominus enim huius domūs mīles fuerat, lēgātus magnī imperātōris, et cum illō imperātōre diū in Galliā prope flūmen Rhodanum cum gentibus hūmilibus bella gesserat; posteā ipse imperātor inter populōs Asiae, ubi contrōversiae ibi ortae sunt, exercitūs dūxerat. Quamquam cūrae erant magnae, tamen praemia magna prōvīderat, nam, dum in Asiā exercitūs dūcit, statuās īnsignēs petīvit et hās multaque alia quae in nūllō aliō locō inventa sunt domum portāvit.

Ex hōc peristȳliō veniēbant illī clāmōrēs laetī. Ab interiōre tēctō vēnit serva quae erat nūtrīx puerōrum. Neque perturbāta neque territa, cum celeritāte sē nōn movēbat. Temere nōn concursābat sed prope iānuam stetit et per tōtum peristȳlium spectāvit. Prīmō nusquam puerōs vīdit. In amplius spatium peristȳlī vēnit. "Ubi sunt duo puerī?" rogāvit. Etiam nunc puerī rīdēbant et ad eam partem ex quā vōcēs oriēbantur nūtrīx iit. Tandem duōs puerōs vīdit.

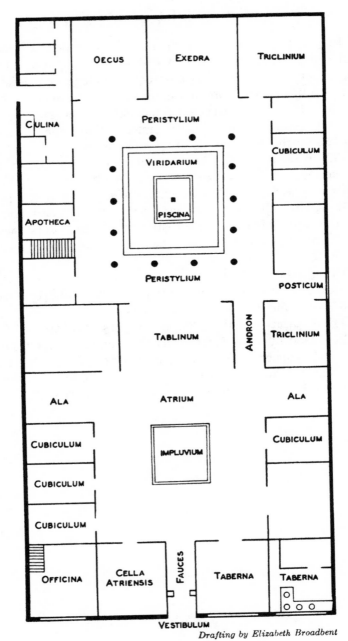

FLOOR PLAN OF A ROMAN HOUSE

Drafting by Elizabeth Broadbent

In peristȳliō erat tertius puer. Hic puer tamen signum vel statua erat. Signum nōn erat equestre signum. Puer equō nōn portābātur. Nūllus equus vidēbātur. Puer, ē saxō factus, scīlicet, prope aquam stābat. Cum puerō erat ānser. Puer erat parvus et pulcher; ānser autem erat magnus — tam magnus quam puer. Puer nōn in tergō ānseris portābātur, sed manū tergum ānseris tenēbat. Puer et ānser erant amīcī. Ex ōre puerī aqua ruēbat; ex ōre ānseris quoque ruēbat aqua quae in lacum parvum fluēbat. Puer et ānser erant fōns īnsignis quī in amplō spatiō peristȳlī stetit. Huic signō vel statuae nūtrīx, cui erat nōmen Quiēta, appropinquāvit. Ibi sub umbrā signī prope lacum lūdēbant illī duo puerī quōs petēbat. Ibi Quiēta puerōs invēnit.

Ubi Quiēta signō aderat, stetit et spectāvit. Nunc ubīque erat quiēs. Nusquam sonitus per peristȳlium audīrī poterat. Suā sponte puerī silēbant. Quid faciēbant?

Trāns capita puerī et ānseris spectāvit nūtrīx et hoc vīdit. Duo puerī, quī cum celeritāte semper sē movēbant, nunc nōn concursābant. Ibi duo stābant, ipsī similēs signō. Ōra parva erant apertissima. Aquam quae ex ōre ānseris et puerī fluēbat uterque ōre suō recipere cōnābātur!

BOY AND GOOSE BY BOETHOS
STATUE IN THE VATICAN

Ubīque erat aqua. Corpora parva erant splendida. Dē capitibus flūmina parva fluēbant. In oculīs erat aqua. Pedēs parvī in aquā positī sunt. Puer et ānser ā fronte ūmidī erant. Ubīque erat aqua nisi in ōre puerōrum! Ōs apertissimum aquam nōn accipiēbat. Hoc puerī nōn prōvīderant, sed perturbātī nōn erant. Iterum clāmōrēs laetī oriēbantur. Iam dēfessī erant puerī et hōc cōnātū dēstitērunt — sed nōn sine laetīs clāmōribus. Quiēta erat nūtrīx benigna, et hī puerī nūtrīcī cārissimī erant. Sēcum igitur rīdēbat, dum puerī clāmant et magnā cum laetitiā in aquā lūdunt. Mox, prīmō lēniter, deinde ācrius, duōs vocāvit. "Venīte, puerī cārissimī," ait. Duo, quī tantum quattuor annōrum erant, puerī malī nōn erant et nūlla contrōversia orta est. Statim pāruērunt. Alter ā dextrā, alter ā sinistrā, prōcessērunt. Alter manum dextram Quiētae, alter sinistram comprehendit. Quiēta media manum utrīusque tenēbat. Tardē ad iānuam domūs ex quā Quiēta vēnerat trēs abiērunt. Puerōs quattuor annōrum tamen tam tardē sē movēre difficile est. Subitō prīmum alter, deinde alter cōnātū dēstitit et currere coepit. Quiēta numquam officium neglēxit, neque temere contrōversiās incitāvit. Nunc itaque puerōs currere sapienter passa est neque īrāta erat. Puerī celeriter cucurrērunt et mox longē ante eam erant. Quiēta per reliquum spatium tardē secūta est. Post breve tempus ad iānuam pervēnērunt, in interiōrem domum prōcessērunt. Quiēta cum cūrā iānuam clausit.

Quī erant hī puerī quī semper laetissimē lūdēbant et rīdēbant et omnibus quī eōs aut vidēbant aut audiēbant laetitiam dabant? Quamquam hī puerī quattuor annōrum erant parēs aetāte et magnitūdine, nōn erant geminī, frātrēs nōn erant. Erant parēs magnitūdine quod utrīque cōpia cibī bonī per diēs dabātur, et uterque noctū bene dormiēbat. Erant parēs aetāte quod pater alterīus puerī, quī eō tempore erat lēgātus in Galliā, magnā cum cūrā īnfantem quem in Galliā cēperat servāvit, et domum cum mātre eius portāvit quod socium suō īnfantī voluit.

Mīles Rōmānus, ubi mātrem et īnfantem comprehendit, mātrem cum īnfante tūtam Rōmam abīre passus est. Multae lacrimae in oculīs mātris servae ortae erant quod ex suā patriā īre cōgēbātur, sed necesse erat ad fīnēs quī tam longē aberant proficīscī. Dum ex oculīs mātris lacrimae ruunt, īnfāns quoque lacrimāverat. Erat necesse igitur mātrem fortem esse et lacrimāre dēsistere, quod lacrimae multae īnfantibus nocent. Mox māter suā sponte lēniter rīdēre cōnābātur. Tum īnfāns lacrimāre dēstitit et somnō sē dedit.

Hic puer igitur in Galliā nātus est. Nōmen eius erat Fēlīx. Fēlīx nōn erat vērum nōmen, sed dominus Rōmānus sīc eum appellāverat et posteā Fēlīx erat nōmen eius. Erat fīlius prīncipis īnsignis quī ūnam ex maiōribus gentibus regēbat, cui nōmen erat Boduācus. Māter eius erat fīlia rēgis vel prīncipis fīnitimī quī quoque in gente magnā rēgnum habēbat.

Hae gentēs scīlicet erant gentēs barbarae, sed vītae hominum ibi erant plēnae laetitiae. In silvās amplissimās, lacubus et fontibus ūmidās, cum tēlīs virī ībant et animālia fera inveniēbant et dēnique praedam domum ferēbant. Fēminae interim domī manēbant. Aut inter sē vīsitābant et conloquēbantur aut in tēctīs labōrābant. Līberī aut in spatiō apertō aut in interiōre domō lūdēbant. Postquam virī rediērunt, fēminae cēnās parābant.

Interdum pugnae erant, quō tempore ducēs mīlitēs, bene armātōs scūtīs, hastīs quae sunt similēs pīlīs, gladiīs, arcubus sagittīsque, in proelium dūcēbant. Galeās scīlicet mīlitēs numquam habēbant. Barbarī virtūtem sē nōn habēre putābant sī quid in capitibus gessērunt. Laetī mīlitēs ducēs sequēbantur et impetūs hostium fortiter sustinēbant.

Ōlim ad oppidum ubi pater et māter Fēlīcis habitābant nūntius ex aliā gente quae nōn erat inimīca vēnerat. "Salvēte," inquit. "Exercitus Rōmānus ad nōs ā fronte ruit. Iam hostēs castra relīquērunt. Mox hīc erunt. Herī profectī sunt. Hodiē iter faciunt. Crās agmina venient. Pugnāre cōnābimur. Cōnātum fortem faciēmus et impetum sustinēbimus. Quamquam hostēs nōs bellum parāre nōn passī sunt, cōnātū nōn dēsistēmus. Auxilium vestrum postulāmus. Nisi nōs iuvābitis, prīmō legiōnēs Rōmānae nōs superābunt, deinde vōs quoque oppugnābunt. Vōs quoque vincent. Nūlla gēns, nūlla cīvitās sōla sē dēfendere potest. Nusquam est salūs. Nisi auxilium mittētis, nōs omnēs moriēmur. Nēmō reliquus erit."

Sīc ōre aiēbat. Vehementer animī omnium incitātī sunt. Omnēs erant parātī pugnāre. Paucī pācem voluērunt. Postquam nūntius fīnem dīcendī fēcit, Boduācus, pater Fēlīcis, senēs in forum eōrum convocāvit. Ibi hī conlocūtī sunt. Numquam anteā in Rōmānōs bellum gesserant, sed statim proficīscī cōnstituērunt, Boduācō ipsō dūcente.

Dēnique postquam conlocūtī sunt et conloquia ad fīnem pervēnērunt, Boduācus ad casam suam cucurrit. Ibi pauca verba dīxit: "Bene tē et īnfantem cūrā. Multōs hostēs vulnerābō et interficiam atque magna erit fāma mea. Fīlius noster virtūtem patris semper laudābit. Valē, uxor cārissima. Semper sīs tūta." "Heu," respondit fēmina, oculīs lacrimārum plēnīs. "Perfidī sunt Rōmānī. Saepe temporibus superiōribus mercātōrēs quī undique per Galliam errābant ad gentem meam veniēbant et dē saevīs Rōmānīs et victōriīs nārrābant. Timida sum. Nōbīscum manēre dēbēs." "Nōlī timēre, cārissima. Animum cōnfirmā et fortiter mē exspectā. Mox maximā cum laude redībō." Ōscula celeriter in ōs et frontem ipsīus puerīque Boduācus dedit, arma cēpit, ad agmen exīvit. Hūc omnēs convēnerant. Quīdam senex ad caelum manūs sustulit, deōs suōs auxilium rogāvit. Nūlla erat mora. Cum sonitū armōrum mīlitēs discessērunt.

Posterō diē vesperī nūntius ad oppidum Boduācī vēnit. "Heu," inquit. "Mox hostēs hūc venient. Fortēs erant mīlitēs vestrī. Ausī sunt pugnāre contrā magnum exercitum, centum mīlitēs contrā mīlia mīlitum. Ācris erat pugna. Ācriter tēla vestrī coniēcērunt ubi hostēs impetum vehementer fēcērunt. Quamquam hostēs pressērunt, loca numquam relīquērunt. Usque ad mortem pugnāvērunt. Paucī, ex aciē pulsī, sē dēnique in fugam dedērunt. Hōs paucōs equitēs hostium sequuntur. Forte hī quoque necābuntur. Nunc hostēs ibi manent quod necesse est vulnera cūrāre. Mox autem proficīscentur. Agrōs vāstābunt, oppida occupābunt, frūmentum dēlēbunt. Fēminae puerīque servī fīent. Salūs est nūlla."

Ubīque ad caelum ortī sunt clāmōrēs fēminārum, nam nūntium vērum esse scīvērunt. Senēs silēbant; nihil facere poterant, tamen inter sē cōnsilium cēpērunt. Equōs cēteraque animālia ad īnsulās, quibus exercitus propter aquam lacūs nōn appropinquāre poterat, ēgērunt. Interim pecūniam et alia huius generis quae cāra habuērunt apud prīncipem sub terrā posuērunt. Dēnique casās ignī dēlēvērunt. Numquam anteā hoc fēcerant. Eratne facile hoc facere propter virtūtem et amōrem patriae, an difficile erat propter magnitūdinem dolōris et malae fortūnae? Nēmō hodiē eōdem modō quō eī sentiēbant sentīre potest. Itaque nēmō scit.

Prīmā lūce senēs et fēminae puerīque cum multīs lacrimīs et magnī dolōris plēnī longō agmine iter perīculōsum incipiēbant. Ad oppidum proximum, bene nātūrā mūnītum quod in summō monte positum erat, profectī sunt. Heu! Paucī ad portās oppidī pervēnērunt, nam equitēs Rōmānōrum celeriter secūtī eōs captīvōs ad castra dūxērunt. Captīvī servī fierī coāctī sunt. Ibi lēgātus post bīduum omnēs captīvās condūxit. Postquam omnēs spectāvit, Fēlīcem et mātrem servārī iussit. Illum validum īnfantem suō īnfantī paris aetātis socium, hanc uxōrī dōnum posteā dare cupiēbat. Ita cum cūrā servātī sunt Fēlīx et Quiēta. Hīs mīlitēs nōn nocuērunt.

Nōmen alterīus puerī parvī erat Quīntus Mūcius Scaevola. Nōmen patris eius quoque quī lēgātus in exercitū Rōmānō in Galliā pugnābat erat Quīntus Mūcius Scaevola. Itaque puer appellābātur Quīntus Mūcius Scaevola fīlius. Circiter sex annōs iam Quīntus pater in Galliā bellum gesserat et multōs captīvōs cēperat. Magna pars Galliae iam victa erat; ibi forte pāx cōnfirmāta erat. Nunc Rōmānī exercitūs iterum condūxerant. Nāvibus flūmina trānsībant et contrā gentēs quās mercātōrēs sōlī anteā vīsitāverant bellum īnferēbant et aciēs īnstruēbant et quāsdam gentēs superābant. Longum bellum fuerat et multa vulnera mīlitēs intulerant et nunc sē ad urbem mox reditūrōs esse spērābant. Dux scīlicet verba fēcerat et hoc pollicitus erat.

Q. Mūcius erat gente nōbilī. Paene omnēs maiōrēs honōrēs habuerant. Pater eius, avus Quīntī fīlī, quī nunc erat senex, in eōdem aedificiō habitāvit. Hic quoque mīles fuerat et in Galliā pugnāverat. Postquam ex Galliā ad urbem rediit, prīmō quaestor factus erat, deinde aliōs honōrēs accēperat et dēnique cōnsul factus erat. Posterō annō ad eam partem Asiae quae erat sub imperiō Rōmānō missus erat. Postquam in Asiam ēgressus est, ibi pūblicās rēs bene gessit. Rēbus bene gestīs, iterum Rōmam rediit. Uxor eius, quae quoque erat gente nōbilī, bīduō posteā mortua est. Itaque post mortem mātris fīlius quī erat maximus nātū, Quīntus, cum uxōre suā quam modo in mātrimōnium dūxerat, domum vēnit.

In hōc aedificiō, igitur, Quīntus fīlius nātus est. Eō tempore hīc habitābant avus eius, P. Mūcius, quī erat dominus, Pūblius Mūcius, patruus eius, qui erat fīlius avī minimus nātū et etiam nunc puer, māter eius, Laelia, ipsa mulier gente nōbilī, Quīntus ipse, servī, servae vel ancillae. Pater interdum hieme domī erat, quod aestāte sōlā pugnātum est, sed plērumque ex Galliā nōn exiit. Suā sponte cum exercitū in hībernīs mānsit. Rōmam tamen mox honōrum causā redīre voluit. Ōlim ipse sē cōnsulem futūrum esse spērāvit.

Patruōs aliōs Quīntus habuit. Ex hīs duo iam uxōrēs in mātrimōnium dūxerant. Tertius patruus Athēnās ierat ubi multa discēbat. Athēnās Rōmānī nōbilēs īre cupiēbant quod ibi erant scholae optimae, ibi poētae et sapientēs inventī sunt, ibi īnsignīs librōs Graecā linguā scrīptōs legere potuērunt. Grāta Rōmānīs nōbilibus erant haec studia. Magnus erat amor hōrum studiōrum.

Avunculōs quoque habuit Quīntus. Hī, quī erant maiōrēs nātū quam māter, iam magistrātūs aut erant aut fuerant. Īnsignēs erant omnēs hī virī, quōrum laus erat magna, quī mūnera bene gesserant, quī iniūriās numquam imposuērunt.

Forte neque frātrem neque sorōrem habuit Quīntus, sed ob eam rem neque dolōre affectus est neque hōs umquam dēsīderāvit, quod Fēlīx erat socius et comes et familiāris. Nunc Quīntus erat īnfāns. Itaque nōn intellēxit quantam grātiam patrī dēbēret quod is sibi tam grātum comitem dedisset. At posteā, quandō ipse senex erat, hoc bene intellēxit.

Sīc in eōdem aedificiō habitābant hī omnēs hominēs, Mūciī, Fēlīx, Quiēta, cum aliīs servīs ancillīsque. Quiētam sōlam necesse erat novōs modōs vīvendī discere. Ea, anteā ipsa rēgīna, fīlia prīncipis vel rēgis, et coniūnx vel uxor rēgis īnsignis, ut suprā nārrāvimus, nunc forte ancilla, nūtrīx īnfantis Quīntī facta erat. Ea, quae quondam imperābat, nunc pārēre cōgēbātur. Interdum, postquam puerī dormīvērunt, mūneribus factīs, per amplum spatium peristȳlī, dolōre affecta, errābat. Interdum, dum fortem coniugem et diēs laetōs quōs in patriā suā ēgerat memoriā tenet, in interiōre parte aedificī, oculīs lacrimārum plēnīs, inveniēbātur. Plērumque tamen lēniter rīdēbat et deīs grātiās agēbat quod fīlius in Galliā nātus ab hostibus quī bellum in patriam inferēbant nōn necātus erat, sed servātus erat et nunc Rōmae vīvēbat. Deīs hōc quoque grātiās agēbat quod mīlitēs eī nōn nocuerant neque eum vulneribus affēcerant. Magnō cum amōre vērō et magnā cum cūrā Quiēta Fēlīcem et familiārem eius, Quīntum, quī erat pār aetāte et magnitūdine et quī geminus Fēlīcis facile putārī poterat, sequēbātur et cūrābat.

Interim puerī per tēctum prope fontem et signa et in lacū parvō lūdēbant. Saepe ōra et corpora tōta ūmida erant. Puerī etiam cōnātī sunt ē peristȳliō ēgredī et in ātrium ruere, nam vehemēns erat studium eōrum alia loca vidēre. Hoc tamen Quiēta nōn passa est, nam mātrī Quīntī sē hoc nōn passūram esse pollicita erat. Semper igitur puerī cōgēbantur hōc cōnātū dēsistere, quamquam in ātrium profectī erant.

Omnēs servī magnō cum amōre Fēlīcem et Quīntum amāvērunt. Seniōrēs servī et eī nōn tam senēs puerīs multa
fēcērunt. Sī quid alterī factum est, aliud simile alter habuit.
Quīdam servus quī māteriam bene caedere poterat puerīs
sex mīlitēs fēcit. Nocte puerī mīlitēs in hīberna pōnēbant.
Per diēs aciēs ad pugnam parābantur. Puerī erant ducēs
et animōs mīlitum cōnfirmābant. "Sītis fortēs mīlitēs,"
inquiunt. "Bene pugnāte contrā hostēs et magna erit
laus." Haec erant verba ducum. Dēnique ducēs manūs
tollēbant et mīlitēs bipertītō ad mortem pugnābant. Interdum in locō opportūnō dux mīlitēs suōs in īnsidiīs pōnēbat.
Ubi hostēs vēnērunt, hī mīlitēs ex īnsidiīs sē prōiciēbant et
conclāmābant. Territī hostēs fugiēbant. Interdum mīlitēs
in duās partēs nōn dīvidēbantur, sed omnēs mercātōrēs
sequēbantur quod scīlicet hī mercātōrēs līberōs rapuerant
et in nāvēs impōnere cupiēbant. Tum saevī clāmōrēs ē
peristȳliō ortī sunt. Interdum mīlitēs ad Forum Rōmānum
ībant quod bene pugnāverant et ibi dux praemia accipiēbat.

Nusquam in urbe laetiōrēs et validiōrēs puerī invenīrī poterant. Quamquam Quiēta nōn tam laeta quam anteā erat,
tamen puerī eam laetam reddēbant et ea nōn erat maesta.
Omnēs eam amābant et ea omnibus lēniter rīdēbat.

Ōlim duo puerī in ātriō lūdēbant. In ātrium īre puerīs nōn licēbat et hoc puerī scīvērunt, sed nēmō fuerat in cōnspectū et puerī celerēs et nōn timidī erant. Studium omnia videndī habēbant et hoc tempus opportūnum putābant. Facile erat ex peristȳliō ēvādere. Nunc nēmō erat in ātriō. Paulō post prīmam lūcem cotīdiē familiārēs et clientēs avī hūc vēnērunt. Mulierēs hūc nōn vēnērunt. Tum nōn nūllās hōrās ātrium erat plēnum hominum quī loquēbantur et rīdēbant et avō salūtem dīcēbant. Sed nunc omnēs ad Forum ierant. Nunc ātrium erat vacuum.

Pulcherrimus erat locus. In parietibus erant pictūrae deōrum deārumque pulcherrimē factae. Hae pictūrae nōn movērī poterant ut pictūrae nostrae sed in parietibus factae erant. In ātriō erant signa plūra et pulchriōra quam ea in peristȳliō. Erant mēnsae quoque, quae pulcherrimae erant. Quaedam ex hīs mēnsīs ē māteriā novā factae sunt. Aliae ē marmore factae sunt. Multae ex aliīs terrīs portātae erant et dominō cārae erant. Pavīmentum quoque ē marmore factum erat et, ut puerī trānsiērunt, umbrās duōrum ostendit. In mediō ātriō erat locus ubi erat aqua, impluvium appellātus. Circum aquam erat mūrus ē marmore factus, quī nōn erat altior quam pavīmentum. Hīc puerī, sī oculōs sustulērunt, caelum clārum vidēre potuērunt.

Uterque puer nāviculam habuit. Saepe hae nāviculae in lacū peristȳlī inventae sunt. Hās nāviculās servus puerīs ē lignō fēcerat. Vēla habuērunt nāviculae et rēmōs quoque, quod servus in memoriā tenuit nāvēs mercātōrum quās quondam vīderat cum captīvus Rōmam ductus erat. In nāviculīs erant nūllī nautae; erant neque figūrae neque corōnae in prōrā aut puppī, tamen erant idōneae nāviculae ad nāvigandum et magnum studium nāviculārum nāvigandārum puerīs erat. Impluvium nōn erat idōneum nāviculīs. Nāviculam in aquam pōnere erat difficile. In pavīmentō tamen puerī iacuērunt et magnā cum cūrā nāviculās in aquam imposuērunt. Quīntus nāviculam suam pepulit. Celeriter nāvicula trāns aquam fūgit, ad mūrum adversum vēnit, statim in manūs eius revertit. Hoc puer nōn exspectāverat. Puerī laetī conclāmāvērunt. Deinde Fēlīx quoque nāviculam suam celeriter pepulit. Eam tamen iterum nōn excēpit. Ad mūrum scīlicet nāvicula pervēnit et ā mūrō repulsa est. Nōn tamen in manūs puerī rediit sed in mediō impluviō mānsit.

In aquam puerī statim profectī sunt, sed, ecce, ā viā vēnit Pūblius, patruus Quīntī. Perterritus erat Pūblius quod aqua erat altior et puerī nōn natāre sciēbant. Manibus suīs ācriter plausit. Servus ad eum statim cucurrit. "Nāviculam portā." Hoc Pūblius servō imperāvit. Puerīs ait: "Venīte, puerī. Cūr estis in ātriō? Estne nāvicula tua an tua?" "Mea est," inquit Fēlīx, et prōcessit ad servum, quī eī nāviculam reddidit. "Meam nāviculam volō," inquit Quīntus, dolōre affectus. "Ubi est tua nāvicula?" respondit Pūblius. "Ibi," ait Quīntus, impluvium mōnstrāns. Pūblius nāviculam petere pollicitus est et ad mūrum iit. Ibi, anteā mūrō cēlāta, erat nāvicula. Hanc Quīntō restituit et omnēs ex ātriō ad peristȳlium exiērunt. Pūblius, quī librum petēbat, ancillam vocāvit quae puerōs cūrāret.

Iam puerī quī nōn erant geminī, nōn erant frātrēs, sed erant parēs et aetāte et magnitūdine, erant sex annōrum. Duōs annōs ut anteā vīxerant et lūserant et multa didicerant. Aestāte rūs cum mātre avōque patruōque carrō ierant et ibi avēs et collēs et nūbēs et rīpās parvī flūminis quod per agrōs fluēbat cognōverant. Ibi nāviculās, quae rēmōs et vēla et prōrās et puppēs habuērunt, flūminī imposuerant et ipsī interdum in aquā ambulāverant. Etiam sē in grāmen iēcerant et in rīpīs latuerant. Ubi ad urbem revertī necesse erat, dolōre affectī erant quod rūra amāvērunt.

Postquam puerī in urbem revertērunt, multa ā mātre Quīntī doctī erant. Rōmae ā mātribus puerī parvī docēbantur. Ā mātribus mōrēs maiōrum et rēs gestās clārōrum virōrum et fābulās dē deīs deābusque et lūnā et stellīs et sōle et Tellūre Mātre puerī Rōmānī discēbant. Ācrēs mentēs Quīntus et Fēlīx habēbant et semper plūra discere volēbant. Studium discendī habēbant.

Ōlim nūtrīcem ancillāsque fefellērunt, ex peristȳliō ēvāsērunt. Ātrium ubi cōtīdiē avus cum clientibus et familiāribus loquēbātur anteā vīderant. Impluvium quoque anteā vīderant. Per pavīmentum ātrī vacuī ex marmore factum igitur iērunt, mox in vēstibulō stābant. Ibi iānitor nōn aderat et iānua aperta erat. Trāns līmen paulum ambulāvērunt et ecce in viā stābant! Numquam anteā sōlī tam procul ā peristȳliō prōcesserant!

Via ē saxīs magnīs erat facta (vel mūnīta, ut Rōmānī
aiēbant). In quibusdam locīs alta saxa surgēbant quibus ad
aedificia adversa trānsitum est. In viā nūllus carrus vīsus
est quod diē per viās Rōmae carrō īre nōn licēbat. Sī carrō
īre necesse erat, noctū iter fīēbat. Erant tamen lectīcae,
ā servīs portātae. Aliam lectīcam sex, aliam octō servī
portābant. Hāc lectīcā fēmina pulchra vecta est, illā vir
quī librum legēbat et interdum scrībēbat vectus est. Nōn
nūllī virī togās gerentēs per viam ambulābant. Nōn nūllī
servī, inter quōs erat iānitor domūs Quīntī, inter sē loquēbantur. Līberī quī nōn ex nōbilibus gentibus nātī erant per
viās lūdēbant.

Proximī viae surgēbant parietēs aedificiōrum quae nūllās
nisi altās fenestrās habēbant. Omnia aedificia ingentēs
iānuās habēbant et prope iānuās singulās erant tabernae
ubi aut servī aut lībertī rēs quās servī domī fēceraṇt vēndēbant. Lībertus est servus cui lībertās data est. Aut servī
aut lībertī hīc negōtium gerēbant. Pecūnia quae ā servīs
accepta est dominī erat. In aliīs tabernīs oleum, in aliīs
vīnum, in aliīs togās servī vēndēbant.

Hae et aliae rēs mentēs puerōrum incitābant. Quō prīmum īrent et quid facerent puerī nōn sciēbant. Dum sīc
dubitant, incertī quid facere vellent, per līmen properāvit
servus quī intereā puerōs ēvāsisse cognōverat. Perterritus
duōs petēbat, cum eōs sīc in viā stantēs vīdit. Iānitōrem
quoque vīdit, quem manibus plaudēns magnā vōce vocāvit.
Quīntus et Fēlīx intellēxērunt puerīs per viās īre nōn licēre,
itaque, quamquam magnō dolōre affectī sunt, sine morā
intrā domum iērunt, iānitor iterum in vēstibulō labōrem
incēpit, iterum omnia ut semper facta sunt.

A STREET IN POMPEII, 1930

Quōdam diē magnō cum studiō affectī sunt Quīntus et Fēlīx. Aestās erat. Puerī decem annōrum erant. Quartā vigiliā, multō ante sōlem orientem surrēxerant. Mōs erat Rōmānōrum māne surgere, sed hodiē mentēs puerōrum maximē excitātae sunt. Māne igitur ē strātīs puerī sē rapuērunt neque tacuērunt. Per tōtum tēctum iērunt et omnēs incitāvērunt. Hodiē procul ab urbe itūrī erant. Mūciī agrōs rūrī habēbant, ubi tēctum quod vīllam appellābant aedificāverant. Rūrsum puerī rūs quod maximē amābant itūrī erant. Semper aestāte ad hanc vīllam sē vertērunt quod eī quī in urbe manēbant saepe aegrī factī sunt et urbs ipsa nōn erat locus grātus. Aestāte Rōma erat ferē urbs dēserta, quod plūrimī Rōmānī nōbilēs in vīllīs habitābant. Anteā Quīntus et Fēlīx ad vīllam ierant et nunc rūrsum revertēbantur. Rūra maximē amābant.

Tandem omnia parāta erant et puerī cum Pūbliō et servō ad portam proficīscī nōn dubitāvērunt. Carrōs iter facere per viās nisi noctū nōn sinēbant Rōmānī; ergō māter Quīntī ā servīs lectīcā portābātur et cēterī per viās ad portam ambulābant. Ibi cum carrīs aliī servī eōs exspectābant.

Trāns līmen tēctī per viam ad Forum iērunt Quīntus et Fēlīx. Prope Forum ubi multitūdō hominum togās gerentium iam stābat multa templa et ārās deōrum vīdērunt. Mox per aliās viās paene dēsertās ubi erant īnsulae magnae et mox per viās angustās ubi casae parvae erant ad portam ībant.

Intrā portam ipsam sedēbant pauperēs et caecī quī pecūniam rogābant. Prope portam erant tabernae ubi aut servī aut lībertī negōtium gerēbant et vīnum, oleum, aliās rēs vēndēbant. Per portam ad locum ubi omnēs sē colligere oportēbat puerī ambulāvērunt. Mox omnēs ad ūnum locum accesserant et iter per campōs inceptum est. Prīmō cursum multa mīlia passuum per campōs hī tenuērunt. Haud procul erant tumulī et monumenta mortuōrum et ruīnae vīllae magnae nunc dēsertae. Posteā ut via in montēs surgēbat, fīnis tellūris et undae maris ipsae in lūmine clārō et longius in aliā parte mōns ubi etiam nunc alba nix vidērī poterat in cōnspectum vēnērunt. Interdum ubi flūmen parvum per agrōs fluēbat aut agrōs dīvidēbat trāns pontem trānsībant carrī.

Saepe aliōs quī per viam ībant puerī vīdērunt. Nunc centuriō īnsignibus ōrnātus et paucī mīlitēs equīs vectī quī ad urbem ībant vīsī sunt. Posteā mīlitēs vīsī sunt quī latrōnem vinculīs impedītum ad urbem dūcēbant. Latrō erat saevus, quī cum septem comitibus vīcōs circumvēnerat et multōs occīderat. Cum mīlitēs vēnērunt, comitēs salūtem petīvērunt et eōs quī secūtī sunt fefellērunt. Hic latrō, incertus quid faceret, sōlus captus est. Puerī ā mātre dē latrōnibus doctī erant et hunc perterritī spectābant.

Ubi puerī cibum volēbant, servī eīs cibum et vīnum dedērunt. Omnēs in carrō ēdērunt. Hoc fēcērunt et quod
tabernae nec erant multae nec satis bene gestae et quod
iter erat longum et ante noctem ad vīllam hospitis pervenīre
volēbant.

Nunc campōs relīquerant et itinere quod per collēs per-
ductum erat paulātim ascendēbant. "Tellūs, magna māter
omnium rērum, haec loca amat," ait Quīntus, nam sīc māter
eius docuerat. Ad vesperum in vīllam hospitis, quī prope
Praeneste in valle pulcherrimā habitābat, perventum est,
nam hīc per noctem manēre Mūciī cōnstituerant. Īre lūce
obscūrā per collēs Rōmānīs nōn erat grātum quod saepe
latrōnēs impetum faciēbant. Vīllās vērō interdum hī latrōnēs expugnābant, itaque hospes servōs dispōnēbat quī
per noctem vīllam dēfenderent.

Per noctem tempestās cum multō ventō orta est et magnus
erat timor omnium quī hanc audiēbant. Ut saepe in Italiā
fit, tamen, ut sōl surrēxit, caelum erat clārum et tellūs pulchra erat. Māne omnēs Mūciī surrēxērunt et vīllam hospitis
benignī relīquērunt. Brevī tempore ē viā mūnītā discessērunt et multa mīlia passuum viīs angustīs et ferē dēsertīs
cursum tenuērunt. Prīdiē templa et ārae deōrum et monumenta et tumulī mortuōrum cōnspectum impedīvērunt. Hodiē nihil eius modī vidēbātur. Nōn saepe vīcus vīsus est.
Per collēs sōlī iter faciēbant.

Intereā inter collēs altiōrēs erat cursus et nunc ulteriōrēs montēs puerī vidēre poterant. "Uter longius abest," rogat Fēlīx, "ille mōns an mare?" Mōns propior vidēbātur, sed Quīntus sē fallī arbitrābātur; ergō respondēre dubitābat, neque ūllus respondēre cōnābātur. Brevī tempore ex summō colle haud procul, lūmine clārō, vallem lātam vīdērunt ubi multitūdō servōrum agrōs colēbat. Hī erant agrī Mūciōrum. Scīlicet Mūciī nōn erant pauperēs! Celeriter per reliquum cursum vectī sunt, et mox ad vīllam ipsam accēdēbant.

Servus altus et niger ex līmine domūs cucurrit et dominae appropinquāvit. Ancillae, quae flōribus viam sternēbant, eum secūtae sunt. Prīma et secunda laetā mente dominae salūtem dedērunt. Quibus aliae succēdēbant. Mox omnēs in ātriō collēctī sunt.

Haec omnia Quīntus et Fēlīx probābant, sed nihil ipsī morātī sunt. Breve tempus tacēbant, et tandem, ā nūllō vīsī, paulātim ē multitūdine sē recēpērunt. Multās rēs vidēre studēbant et mox in undīs flūminis parvī lūdēbant. Sē fēlīcēs putābant quod rūrsum in vīllā habitābant.

Sērō rūrsum ā flūmine discessērunt et ad vīllam rediērunt. Vīlla, similis tēctō unde prīdiē profectī erant, ātrium pulchrum habēbat. Circum ātrium erant cubicula ubi Mūciī dormiēbant. Ubi peristȳlium erat in alterā domō erat spatium vacuum quō servī frūctūs et īnstrūmenta quoque quibus ad colendōs agrōs ūtēbantur portābant. Circum hoc spatium erant loca quae puerī multum amābant, loca ubi vīnum et oleum et frūmentum cōnservābantur. In vīllā puerī multās rēs vīdērunt et fēcērunt.

Rūrsus puerī, ē vīllā profectī, ad urbem vectī erant. Frūctūs ex agrīs et ex hortīs portātī erant, novum vīnum et novum oleum facta erant et cōnservābantur in vīllā unde ad urbem posteā portārī poterant. Inter servōs et īnstrūmenta puerī tacitī ambulāverant quod omnia vidēre et scīre studuerant neque ūllus plūra vīderat et cognōverat. Iterum cursum per montēs et vallēs et campōs multa mīlia passuum secūtī erant. Nunc tamen nōn ascendēbant. Neque ventī neque tempestās eōs impedīverat. Eī ut per montēs paulātim vectī sunt, prope castellum antīquum et dēsertum procul ab ūllō vīcō agricolae, quī iacula sūmpserat et animālia sē in silvā caesūrum spērābat, occurrerant.

Iterum vīllā eiusdem hospitis ūsī sunt, quī hospes domō ipsōrum ūtī nōn dubitāvit sī ad urbem vēnit. Tabernās vītāverant, ut avus monuerat. Sērō vesperī ad portam urbis pervēnērunt ubi carrōs relīquerant et unde māter lectīcā per viās vecta erat. Puerī, ut iterum tumulōs et monumenta prope viam vīderant, arbitrātī erant sē ad templa et ārās urbis accessūrōs esse et deōs cultūrōs esse, sed ut lūmen erat obscūrum et nunc ipsī dēfessī erant, tacitī sē domum vertērunt et brevī tempore in cubiculō dormiēbant.

Puerī mox post adventum ad lūdum Sex. Clōdī ībant. Prīmō avus Quīntī Fēlīcem ad lūdum mittere nōluerat, quod mōs nōn erat servōs ad lūdum mittī. Fēlīx tamen mentem ācrem habuit et Quīntus multum ōrāverat, et multōs diēs puerī vultūs trīstīs gesserant. Tandem ergō avus cōnstituit Fēlīcem bene meritum esse et facultātem discendī eī quoque dandam esse. Itaque Fēlīx, servus, cum Quīntō ad lūdum Sex. Clōdī addūcēbātur.

Lūdī Rōmae nōn magnī erant, sed complūrēs puerī ad eundem lūdum ībant. Cīvitās lūdōs nōn statuit, sed pater puerōrum magistrum dēlēgit, magistrō aurum datum est, puerī in lūdum cōnscrīptī sunt. Puerī māne ante prīmam lūcem ad lūdum ā servō addūcēbantur. Celeriter per viās ībant. Cibum sēcum portābant et saepe in viīs edēbant. In lūdō vōce magnā omnēs simul clāmābant et hōc modō omnia discēbant. Lēgēs Duodecim Tabulārum, quae erant lēgēs antīquissimae Rōmānōrum, memoriā tenendae et intellegendae erant. Puerī legēbant et memoriā tenēbant opera quoque, et linguā Latīnā et linguā Graecā scrīpta, maximē opera Ennī et Naevī, poētārum Rōmānōrum antīquōrum, quī dē prīmīs urbibus conditīs et dē bellīs Italicīs nārrāverant, et opera Homērī, poētae Graecī īnsignis. Homērus dē bellō Troiānō et dē Ulixe errante scrīpserat.

Quīntō haec studia grātissima erant quod avus et pater hīs rēbus studēbant et multum dē operibus poētārum loquēbantur. Patruus, Pūblius, etiam nunc Athēnīs docēbātur et domum dē rēbus īnsignibus epistulās saepe mittēbat. Fēlīx quī ab īnfante inter hās rēs vīxerat facile discēbat, et ipse quoque hīs rēbus studēbat.

Post merīdiem puerī ā lūdō dīmittēbantur, unde domum revertēbant. Interdum ad Campum Mārtium ībant, ubi cum aliīs puerīs lūdēbant. Saepissimē in peristȳliō usque ad cēnam lūdēbant. Post cēnam ad cubiculum dīmittēbantur, quod somnum capere necesse est sī quis māne surgit.

Patrem Quīntī ad vīllam clientis iter facere oportēbat. Nōn nūllōs diēs cotīdiē Mūciī dē itinere locūtī sunt. Dēnique quod sēdēs clientis nōn multa mīlia passuum aberat et cursus nōn erat perīculōsus, Quīntō licēbat cum patre īre. Quīntus simul ōrāvit ut Fēlīcī quoque facultās eundī darētur. Hoc fierī pater sīvit. Quōdam diē ergō ut sōl surgēbat pater et puerī līmen trānsiērunt ut ad portam urbis ambulārent. Ut per Forum iērunt id vīsum est ferē dēsertum quod multitūdō hominum nōndum hūc vēnerat. Paucīs hī occurrerant ut per strātās viās processērunt. Ut ad portam accessērunt complūrēs quī quoque itinera faciēbant vīdērunt. Erant tabernae ubi vīnum et oleum vēndēbantur. Procul servī et equī quibus veherentur adventum eōrum exspectābant. Rēbus suīs collēctīs omnēs equōs ascendērunt et mox trāns campum ā parietibus tēctōrum urbis ēvādēbant.

Cursum prope monumenta et tumulōs amōre mortuōrum statūtōs, per vīcōs, prope templa et ārās deōrum tenuērunt. Haec puerī tacitē spectāvērunt. Mentēs erant ācrēs et pauca eōs fefellērunt. Paulātim propius marī pater et puerī vehēbantur. Ā dextrā erat tellūs pulchra, ā sinistrā haud procul erat mare. Nāvēs quae altās prōrās et puppēs habēbant et quae rēmīs, nōn vēlīs, pellēbantur lūmine clārō in marī vīsae sunt. Nunc erat ferē nūllus ventus; ergō parvās undās in marī puerī vidēbant. Sī tamen tempestās oritur, flūctūs vāstī ad terram volvuntur. Tum etiam nautae incrēdibilem timōrem sentiunt et tūtīs ōrīs maritimīs student.

Brevī tempore collem pater et puerī ascendērunt unde vallem vidēre poterant ubi servī agrōs colēbant. Mox ā strātā viā in viam angustam quae ad vīllam hospitis dūxit prōcessērunt. Ibi erant aedificia magna ubi frūctūs cōnservābantur. Domus ipsa erat pulchra. Hospes fīlium duodecim annōrum habuit. Hic puer in lūdum nōn cōnscrīptus est. Pater servum bene merentem dēlēgerat quī fīlium suum lēgēs Duodecim Tabulārum et opera poētārum et fābulās dē prīmīs urbibus conditīs docēbat. Quīntus et Fēlīx arbitrātī sunt suum modum discendī in lūdō Sex. Clōdī esse meliōrem modum discendī et hoc dīcere nōn dubitāvērunt. Fīliō hospitis tamen magister ipsīus placuit, sed dē lūdō Sex. Clōdī nōn trīstī vultū fābulās audīvit.

Posteā ad strātam viam rūrsum revertērunt pater et puerī. Paulum in montēs ascendērunt ubi vātēs vīsa est. Pater Quīntum ad vātem addūxit et ōrāvit ut dē vītā fīlī suī nārrāret et omnēs dē equīs dēsiluērunt. Vātēs dīxit Quīntum mōrēs maiōrum secūtūrum esse neque lībertātem populī Rōmānī impedītūrum esse; multās terrās vīsūrum esse et multīs salūtem lātūrum esse. Quīntus et pater vātī crēdēbant. Hoc nōbīs incrēdibile vidētur. Deinde pater vātī aurum dedit et ea vultū nōn trīstī eōs dīmīsit.

Cliente vīsō et mūnere perfectō, pater viam quā vēnerat vītāvit et aliā viā ūsus est. Nōn prope mare et ōram maritimam sed prope lacūs pulchrōs haec via haud longō circuitū dūxit neque ūlla via pulchrior erat. Cursū perfectō incolumēs et laetī pater et puerī domum revertērunt.

Hodiē in ātriō stat Q. Mūcius Scaevola. Ā sinistrā stat
Quīntus fīlius quī nunc quīndecim annōs nātus est. Ā
dextrā Quīntī patris stat avus Quīntī, nunc vir senior. Tam
senex est avus ut nōn saepe in ātrium veniat ut clientēs
salūtet, sed hodiē adest quod hic diēs est īnsignis. Herī
Quīntus fīlius ad Forum ā patre adductus est. Ibi deōs
Rōmānōs Quīntus ōrāvit. Hōc mūnere perfectō, ā praetōre
quī tālēs rēs iūdicābat cōnscrīptus est; nunc igitur est vir
Rōmānus et complūrēs clientēs patris iam vēnērunt ut eum
prīmum salūtārent. Nunc prīmum Quīntus togam quae
est omnīnō alba gerit. Anteā togam puerī, quae toga praetexta appellāta est, et quae nōn erat omnīnō alba sed pur-
purā praetexta, gesserat. Bullam, aurō factam, quam is ut
omnēs puerī anteā gesserat, nōn iam gerit. Hanc honōrī
Laribus, quī cum Penātibus erant deī domūs et quī in ātriō
colēbantur, dētulerat.

Quīntus ā puerō saepissimē ex peristȳliō adventum clientium spectāverat, ubi aut singulī aut complūrēs in ātrium
vēnerant ut aut avum aut patrem salūtārent. Nunc prīmum
tamen in grātissimō ātriō ipse stābat ut dextram dextrae
clientium iungeret. Sē hoc facere Quīntō incrēdibile vidēbātur. Crēdere tamen oportēbat.

Clientēs iuvenem tam bene merentem vultibus nōn trīs-
tibus sed laetīs spectābant, iuvenem prae iuvenibus quī gente
nōn tam dignā nātī erant iūdicābant, eum dignum maiōribus
esse arbitrābantur. Gentem esse magnā dignitāte bene scīvērunt. Cum aliī venīre dēsisterent et ātrium esset plēnum
multitūdinis hominum, Quīntum loquī nōn iam necesse erat;
is igitur paulum ā patre sē recēpit ut multitūdinis videndae
et audiendae meliōrem facultātem habēret.

Hic senex dē prōvinciā circuitū longō, vāstīs flūctibus
iactātus, vēnerat ut avum dē lēgibus cōnsuleret; hic iuvenis
ex agrīs vēnerat ut tabulās dēferret quae dē operibus novīs
ibi conditīs nārrārent. Haec opera avus statuere iusserat
nē aqua in agrīs stāret. Ille vir quī togam praetextam gerēbat ōlim praetor fuerat et nunc in senātum cōnscrīptus est.
Complūrēs eum circumveniēbant ut eum cōnsulerent ut suōs
labōrēs vītārent. Hic vir nōn erat cliēns sed erat amīcus
dēlēctus Mūciōrum, hōc diē invītātus.

Complūrēs clientēs in urbe sēdem habēbant. Aliī ōlim
agrum parvum habuerant sed mala erat fortūna. Agricola
ab agrō expulsus erat et nunc eques fēlīx et potēns agrō
ūtēbātur; simul agricola vix in urbe vīvēbat. Tālibus clientibus avus frūmentum vel pecūniam darī iusserat. Sīc complūrēs annīs volventibus vix vīvēbant. Aliī semper in urbe
vīxerant. Hōrum pars frācta, omnium rērum egēns, ex ātriō
ad ātrium ībat ut parvam pecūniam vel cēnam acciperent.
Maior pars autem parvās opēs cōnservāverat, et, quamquam
paucās opēs habēbant, tamen sīc cibō nōn egēbant et incolumēs vīvēbant.

Dum Quīntus haec putat, singulī clientēs et amīcī "Valē"
dīxērunt et dīmissī sunt. Mox ātrium erat vacuum.

Postquam Quīntus et Fēlīx litterās et lēgēs in lūdō Sex.
Clōdī doctī sunt, Quīntus in scholam cui M. Epidius praeerat cōnscrīptus est. Ibi, ut cūnctī iuvenēs Rōmānī, dē
stellīs et sīderibus doctus est atque ōrātiōnēs habuit et audīvit. Omnēs maiōrēs Quīntī, quamquam cursum honōrum
inierant et quaestōrēs, praetōrēs, cōnsulēs singulī factī erant
et in senātum cōnscrīptī erant, tamen prīmī iūris cōnsultī
fuerant. Tālia studia Quīntus ipse maxima iūdicāvit.

Fēlīcī, servō, quamquam mentem ācrem habuit et omnīnō
multum meruit, intereā nōn licēbat ad scholam īre, sed
domī, Quīntō iuvante, tālibus studuit. Ōrātiōnēs eius quidem prae ōrātiōnibus Quīntī nōn īnsignēs erant, neque fierī
iūris cōnsultus studuit quamquam cum Mūciīs ā puerō vīxerat. Tamen, fortasse quod servus erat, multum dē nūminibus dīvōrum et dē mōribus, vītā, morte hominum cōgitā-
verat. Opera ā poētīs et aliīs scrīpta quoque Fēlīx multum
amāvit.

Studiīs in scholā M. Epidī cōnfectīs, pater cōnstituit facultātem Athēnīs habitandī et sapientium ibi cognōscendōrum
fīliō dare. Quōdam diē igitur Quīntus Fēlīcī nūntium dē-
tulit. Pater Fēlīcem cum Quīntō Athēnās mittere cōnsti-
tuerat. In pectoribus duōrum iuvenum igitur ingēns erat
gaudium quod doctōs Graecōs Athēnīs loquentēs audīre possent.

"Graecia est nunc omnīnō prōvincia Rōmāna," inquit
pater. "Cōnsulite, iuvenēs, nē dignitātem reī pūblicae mi-
nōrem faciātis." Paucīs diēbus posteā puerī Athēnās proficīscēbantur.

Iuvenēs prīmum per campōs Italiae, deinde nāvī per vās-
tōs flūctūs, dēnique per Graeciam Athēnās iērunt.   Intereā,
ubi Athēnās vix pervēnērunt, avus Quīntī, senex benignus,
dignus maiōribus, nūllā rē egēns, quōdam diē apud aliōs
nōn vīsus est. Pater ad cubiculum iit ut vidēret cūr senex
ibi manēret. Cum pater ad aliōs revertisset, eōs certiōrēs
fēcit: "Vīxit." Omnēs intellēxērunt eum dīcere "Mortuus
est." Nunc nova imāgō erat apud imāginēs maiōrum in
ātriō et auctōritās patris Quīntī erat summa. Ut Rōmānī
aiēbant, patriam potestātem Quīntus pater nunc habēbat.

Post mortem avī pater Quīntō fīliō epistulam mīsit et
eī omnia nārrāvit. Maestī erant duo iuvenēs quod avum
maximē amāvērunt et domum redīre ut honōrem ultimum
perficerent voluērunt. Tāle iter tamen fierī nōn poterat.
Athēnīs igitur iuvenēs mānsērunt. Duōs annōs ibi vīxērunt
et omnibus rēbus studuērunt.

Magnae sunt spēs Mūciōrum hodiē! Modo iuvenēs Athēnīs iter fēcērunt, et mox domum ventūrī sunt. Mox aderunt.
Amplum ātrium magnā cum cūrā ōrnātum est. Ante Larēs
et Penātēs iacent corōnae recentēs quās ibi pater disposuit
cum nūmina dīvōrum ōrāret ut adventus fīlī suī tūtus esset.
Pater ipse togam praetextam gerit. Servī et ancillae, inter
quās est nūtrīx Quiēta, novās vestēs habent et opēs tēctī
expositae sunt ut gaudium adventū iuvenum ostendātur.

Mox clāmor iānitōris audītus est. "Iō, domine. Salvē,
Quīnte, et tū salvē, Fēlīx." Iuvenēs in ātrium currunt,
dextrae cum dextrīs iunguntur, multa ōscula dantur. Laeta
hodiē sunt pectora Mūciōrum!

Cēnā cōnfectā et honōribus nūminibus dīvōrum datīs, Mūciī morābantur ut dē Athēnīs loquerentur. Aderant Quīntus pater et Quīntus fīlius, Pūblius, patruus Quīntī, et Fēlīx, quī omnēs Athēnās vīsitāverant. Māter Quīntī et Quiēta, nūtrīx, haud procul sedēbant. Quīntus pater et Pūblius quidem, postquam ad urbem revertērunt, Athēnās nōn vīderant et magnō cum gaudiō glōriam illīus urbis, clārissimae totīus orbis terrārum, cōgitābant.

"Vīdistīne noctū arcem Athēnārum et templum Minervae Parthenōnem appellātum?" pater ā Quīntō quaesīverat.

"Ita," respondit Quīntus, "et per tōtum orbem terrārum, crēdō, nihil tam grātum cōnspicī potest. Etiam noctū caelum caeruleum vidētur et ubīque sīdera sunt splendida. Ingēns templum cum porticibus amplīs in caelum caeruleum sē tollit. Hīc hominēs stantēs tamquam dīva ipsa eīs fārētur saepe vīdī. Quīcumque tālia vīdit, is haud longius petere cupit. Neque tellūrem neque caelum neque pelagus ūllam rem pulchriōrem continēre scit. Auctōritās et potestās Minervae et spēs Athēnārum per hoc templum cernī possunt. Hoc est optimum omnium."

Quīntus erat iuvenis et iuvenēs quī rem amant saepe ob iuventūtem nōn vērē cernunt. Nunc tamen cēterī quoque tāle studium sēnsērunt neque Quīntum ob iuventūtem nimis hīs rēbus studēre arbitrātī sunt.

THE PARTHENON AT ATHENS, 1939

Dum Mūciī ā Quīntō multa quaerunt et dē multīs et pulchrīs aedificiīs Athēnārum loquuntur, Fēlīx singula laetō
pectore et vultū sēcum cōgitābat. Pūblius cum vultum
cōnspexisset petīvit ut Fēlīx dīceret quid cōgitāret. Fēlīx
nōn recūsāvit sed subitō studiō respondit sē cōgitāre dē sa-
pientibus quōs audīvissent apud Athēnās loquentēs.
Hī doctī et sapientēs iuvenēs invītant ut sēcum ambulent
et loquantur. Quīdam rem īnsignem prōpōnit, forte sententiam virī doctī petit. Vir doctus dē hāc rē loquitur et
omnēs rēs in ōrdine prōpōnit. Aliī iuvenēs eum ut sententiam
longius expōnat rogant, vel ipsī sententiās suās prōpōnunt
vel aliquid addunt. Posteā causās agunt, forte ōrātiōnēs
habent. Sīc sapientēs Athēniēnsēs iuvenēs docent. Tālibus
Fēlīx maximē studuit et haec omnibus praeesse iūdicāvit.

Fortasse omnēs Mūciī tālīs sententiās tenuērunt, nam
cūnctī multum cōgitābant, ut omnibus iūris cōnsultīs mōs
est.

Māter, Laelia, intereā tacēbat, sed oculīs amantibus
Quīntum spectābat. Laelia erat litterīs docta et omnia bene
gerēbat, sed ad Graeciam iter numquam fēcerat. Nunc igitur
tacitē audīvit dum aliī dē rēbus Athēnīs vīsīs et audītīs
loquuntur. Quiēta quoque tacēbat. In Galliā fēmina īnsignis fuerat et Rōmae multa intellēxerat, sed recentia itinera
quae iuvenēs trāns mare fēcērunt ab eā neque nōscī neque in-
tellegī poterant. Fēlīcem et Quīntum tamen magnō cum
amōre amāvit.

THE PARTHENON AT NASHVILLE, TENNESSEE

Quīntus sōlus in peristȳliō sub caelō caeruleō sedēbat.
Diū facultātem ut sīc sōlus sedēret et dē vītā cōgitāret pe-
tierat. Per porticum in ātrium spectāre poterat et locum
cōnspicere ubi imāginēs maiōrum suōrum in ōrdinibus con-
tinēbantur. Antīquissima erat gēns Mūcia et multōs nōbi-
lēsque virōs pepererat. Multōs et nōbilissimōs cōnsulēs et
praetōrēs, ortōs ab illō Mūciō quī manum dextram in ignī
tenuerat ut hostēs intellegerent Rōmānōs fortēs et fīdōs esse,
pepererat. Maximē dē illō Mūciō, genitōre avī suī, sene
nōbilissimō, Quīntus cōgitābat, dē quō saepissimē et semper
cum ācrī gaudiō lēgerat haec verba: "Q. Mūcius, Q. f.,
Q. n., Scaevola, Augur." Nunc haec verba lēniter fātus est:
"Quīntus Mūcius, Quīntī fīlius, Quīntī nepōs, Scaevola,
Augur." Nihil additum erat. Haec verba modum vītae
Mūciōrum prōposuērunt. Quīcumque Mūciōs cognōvērunt,
hoc scīvērunt. Reī pūblicae bene cōnsulēbant, officia pūblica fortiter cōnficiēbant, semper sacra cūrābant, numquam
sē iactābant. Rēs gestae virī quī diū vīxerat et multīs bene
fēcerat hīs paucīs verbīs expositae sunt.

Omnēs Mūciī iūris cōnsultī quoque fuerant. Quīntus
verba eiusdem Q. Mūcī auguris memoriā tenuit: "Iūra
cīvīlia iam prīdem in nostrā familiā sine ūllā ēloquentiae
laude versantur." Scientiam iūris quidem Q. Mūcius augur
facultātī ōrātiōnum habendārum anteposuit.

Mūciī ut omnēs cīvēs Rōmānī artibus bellī exercitī erant, sed nōn ob artem bellī et glōriam erant nōtissimī; trāns pelagus per tōtum orbem terrārum exercitūs nōn dūxerant. Melius esse sē dignōs amōre cīvium suōrum esse quam nimis glōriam bellī petere arbitrābantur.

Hōrum Mūciōrum Quīntus sē esse partem sēnsit. Īdem sanguis per corpus eius fluēbat, eaedem sententiae in animō eius versābantur, in pectore eius reperta sunt eadem fidēs, eaedem spēs, īdem amor reī pūblicae. Gentem ipsam sē ad rēs gestās similēs rēbus gestīs maiōrum vocāre iuvenis crēdidit. Quīntus nōn recūsāvit. Iuventūtem et virtūtem et vim reī pūblicae dandās esse arbitrātus est.

Tēctum ipsum ā Mūciīs diū habitātum eī in mentem vēnit. Nōn erat domus ōrnātissima, tamquam esset locus ubi dīvitēs opēs ostenderent. Satis ampla erat, grāta, plēna rērum dēlēctārum, quod Mūciī rēbus bene factīs et ipsīs pulchrīs studuērunt, nōn quod amīcīs et aliīs opēs ostendere cuperent. Ut Mūciī glōriam bellī numquam petiērunt, sīc volēbant nē aliī sē dīvitēs exīstimārent neu sē iactāre arbitrārentur.

Mox dē eīs quōs amābat Quīntus cōgitābat, dē avō benignō, nunc mortuō, dē patre suō, dē mātre quae spēs puerī semper intellegēbat, dē Quiētā lēnī quae eum tamquam fīlius suus esset amābat, maximē dē Fēlīce, servō scīlicet, sed potius frātre.

Quīntus, ut morātus est et haec omnia sēnsit, exīstimāvit vītam bonam esse et ā sē quaesīvit quālis vir ipse esse dēbēret ut ipse tālibus maiōribus dignus esset.

Iam prīdem Quīntus sentiēbat rem pūblicam nōn bene gerī. Patrem sēcum cōnsentīre crēdēbat. Quīdam nōbilēs iam diū honōrēs rapiēbant, iūra cīvīlia plēbis nōn dēfendēbant; plēbs neque auctōritātem neque potestātem neque opēs habēbat. Plēbs igitur facile movēbātur et saepe ā nōbilibus quī honōribus et opibus et agrīs sē dīvitēs facere volēbant incitābātur. Cum hī nōbilēs audācēs essent et omnia audērent, saepe coniūrātiōnēs fēcērunt ut cōnsulēs et praetōrēs et aliōs quī auctōritātem habēbant necārent et opēs eōrum raperent. Necesse erat igitur ut magistrātūs cōnsulerent nē opēs cīvium dēlērentur neu quid dētrīmentī rēs pūblica caperet.

Anteā paucīs annīs Catilīna tālem coniūrātiōnem fēcerat. Quamquam per Cicerōnem, quī tum cōnsul erat et quī ōlim discipulus Q. Mūcium augurem, genitōrem avī Quīntī, secūtus erat, Catilīna, dēiectus, ex urbe ēiectus, in proeliō interfectus erat, tamen sociī eius, item audācēs et omnī spē prīvātī, adhūc populum incendēbant. Cicerō quidem posteā exsul ex urbe ēiectus erat. Potentēs amīcī tamen mox effēcerant ut rūrsum ad urbem reverterētur. Multī sentiēbant rem pūblicam cadere et nēminem hoc prohibēre posse. Pater Quīntī quidem etiam nunc praetor erat, sed paucī magistrātūs bonī cīvitātem servāre nōn poterant, nam multī cupiditāte potestātis adductī omnia sēcum ad ruīnam ēripiēbant. Per hōs rēs pūblica dētrīmentum accipiēbat.

Necesse erat ut Quīntus ē Graeciā reversus mox cōnstitueret utrum honōrēs et scientiam ēloquentiae aliīs artibus antepōneret, an alium modum vītae sequerētur. Quam ob causam omnia magnā cum cūrā exīstimābat. Diū sēcum cōgitābat. Omnia quae facere posset, omnia quae aliī iuvenēs sanguine nōbilī facerent et fēcissent in animō volvit. Ut ipse fīdus esset et dignus familiā ex quā nātus esset necesse erat. Quō modō exemplum sacrae fideī maiōrum suōrum daret, ipsī cōnstituendum erat. Quid potius faceret?

C. Iūlius Caesar iuvenis imperātor in Galliā pugnābat. Sēcum quōsdam nōbilēs iuvenēs, aliōs lēgātōs, aliōs tribūnōs mīlitum dūcēbat. Haec cohors rēs mīlitārēs experiēbātur quod Rōmānī omnibus iuvenibus rēs mīlitārēs cognōscendās esse crēdidērunt. Hōc modō perītī rērum mīlitārium celerrimē factī sunt. Quīntus Caesarem perītissimum imperātōrem in tōtō orbe terrārum exīstimāvit, itaque cōnstituit patrem petere et quaerere ut ā Caesare impetrāre cōnārētur ut ipse apud cohortem iuvenum cōnscrīberētur ut sīc apud optimum imperātōrem rēbus mīlitāribus exercērētur. Quīntus cum rērum mīlitārium perītus factus esset, ad urbem revertī voluit ut ibi forte praetor tandem fieret. Quīntus sē iactāre nōn cōnsuērat sed sē dignum honōribus futūrum esse iūdicāvit. Per tōtum cursum honōrum tamen sequī et imperātor fierī nōlēbat. Iūris cōnsultus fierī cōnstituit. Sīc omnēs Mūciī cōnstituerant. Quīntus quoque hās artēs suās futūrās esse iūdicāvit. Ut Rōmānī dīcere cōnsuērant, ālea iacta erat. Quīntus certum cōnsilium inībat.

Hōc cōnstitūtō, Quīntus iam cūram ex pectore ēiēcit neque erat vultū dēiectus. Laetus iuvenis iterum factus est. Manibus plausit; servus vēnit ut iussa acciperet. Quīntus quōsdam Graecōs servōs modo ēmptōs ad sē addūcī iussit et quaesīvit quid Fēlīx faceret. Servus scīvit ubi Fēlīx versārētur, et missus est ut Fēlīcem peteret. Ut parva cohors Graecōrum adducta est, Fēlīx item peristȳlium cum tabulīs iniit. Lēgerat quōsdam librōs Graecā linguā scrīptōs et ex hīs sententiās tabulīs commīserat ut posteā sī librīs prīvātus esset eās memoriā tenēret. Cum Quīntō sēdit ut Graecōs vidēret et audīret.

Hī Graecī, ex captīvīs dēlēctī, doctī erant atque perītī et saltandī et carminum Graecōrum canendōrum erant. Lībertāte ēreptā, tamen tālēs servī dūram vītam nōn experiēbantur, hī minimē quod ā Mūciīs quibus erat cupiditās litterārum Graecārum ēmptī erant. Nunc Quīntus imperāvit ut carmina Theocritī, poētae quī in Siciliā habitāverat canerent. Postquam cecinērunt, imperāvit ut saltārent.

Postquam haec cōnfecta sunt, tamquam in scaenā, fābulam dē rēge Oedipō quī ōlim in urbe Thēbīs rēxerat servī Graecī nārrāvērunt. Haec fābula tam ingēns, tam maesta erat ut effēcerit ut et Quīntus et Fēlīx tacitī sēderint cum servī nārrāvissent. "Haec studia," lēniter verba Cicerōnis fātus est Quīntus, "adulēscentiam alunt, senectūtem oblectant, secundās rēs ōrnant, adversīs perfugium ac sōlācium praebent, dēlectant domī, nōn impediunt forīs."

Iuvenēs nunc, animīs incēnsīs, cōnstituērunt aliās fābulās Graecās posteā legere. Studium hārum prohibuit nē hās relinquerent. Interim intrā domum iērunt ut ēssent. Iterum in peristȳlium reversus, servōs Graecōs rūrsum Quīntus vocāvit. Iuvenēs lēgērunt et nunc dēstitērunt legere ut dē fābulīs et sententiīs loquerentur. Graecī interim audiēbant et, rogātī, aut sententiam dabant aut partem tamquam in scaenā agēbant.

Sīc tempus celeriter āctum est. Quīntus tandem subitō surrēxit et monuit ut statim inde ad sē lavandos īrent nē sērō ad cēnam reverterentur. Prīmō in aedificiō praeclārō sed nōn tam amplō et ōrnātō quam tālia aedificia posteā facta, in spatiō amplō cum aliīs lūsērunt. Postquam sīc corpora exercuērunt in aquam sē iēcērunt ubi natābant et sē lavābant. Lautī, cum aliīs iuvenibus doctīs quī quoque litterīs Graecīs studēbant, dē fābulīs Graecīs loquēbantur.

Rōmānī cōnsuērant sīc ante cēnam sē exercitāre, sē lavāre, cum amīcīs et comitibus dē litterīs loquī. Multī quidem āleā lūsērunt, aliī coniūrātiōnēs iniērunt et cōnsuluērunt quō modō efficerent ut rēs pūblica dētrīmentum acciperet. Magna tamen erant scelera tālium cīvium. Hōs quidem omnēs hodiē cōnsentiunt fuisse nōn cīvēs bonōs sed audācēs. Hōrum Mūciī quī plēbem iuvāre cōnsuērant nōn erant exempla.

Mox necesse erat ut iuvenēs vestēs iterum induerent ut inde domum īrent. Ibi omnēs parātī erant et mox cēnam ēdērunt.

Posterō diē Quīntus Fēlīcem petīvit ut et cum eō loquerētur et dē cōnsiliīs suīs cōnsuleret. Fēlīx Quīntum sapienter facere iūdicāvit. Iam prīdem dē vītā suā item exīstimābat. Nunc ergō ā Quīntō quaesīvit quae esset sententia Mūciōrum. Quīntus fātus est sē quidem hoc cōgitāvisse sed cernere nōn potuisse et quaesīvit quid Fēlīx facere vellet. Genitor quidem cōnsuērat cernere quid potius cūncta familia faceret sed iuvenēs scīvērunt sē ā genitōre Quīntī impetrāre posse quaecumque dē Fēlīce quaererent. Fēlīx cōnsēnsit sibi nōn morandum esse. Statim ergō ipse omnia cōgitāvit.

Quod Fēlīx nunc servus erat, quamquam erat iuvenis sanguine nōbilī, fīlius et nepōs rēgum, ā cursū honōrum prohibēbātur. Eum etiam tribūnum plēbis fierī nōn licēbat. Artis rērum mīlitārium Fēlīx perītus nōn erat, et servī in hāc arte numquam versābantur. Paucī servī iūris cīvīlis scientiam habuērunt, sed forīs clientēs nōn habuērunt neque in Forum et porticūs iērunt ut ōrātiōnēs habērent. Multī servī quī erant audācēs et malī, quod erant lībertāte prīvātī et spē dēiectī, scelera commīsērunt. Coniūrātiōnēs fēcērunt ut urbem incenderent et arcem occupārent et cīvēs ēicerent et ipsī auctōritātem habērent. Fēlīx tamen erat fīdus servus neque cupiditās hārum rērum in pectore eius versāta est. Paucī servī in templīs labōrābant ubi, sīve sacrās imāginēs lavābant et vestēs cūrābant sīve alia faciēbant, semper sacra prō dīvīs efficiēbant. Fēlīx hoc grātum officium esse crēdidit, sed servī quī hōc mūnere fungēbantur erant servī pūblicī, nōn servī prīvātōrum.

Multī servī autem aut tabernās exercēbant aut erant
mercātōrēs quī trāns pelagus caeruleum ad omnēs partēs
orbis terrārum itinera fēcērunt et in exterīs nātiōnibus
quaestuī dominīs fuērunt. Aliī aut litterīs dēlectābantur
aut carmina canere poterant aut sīdera cognōscēbant. Hī
glōriam et laudem per hās artēs petiērunt.

Fēlīx ingēns gaudium litterārum experiēbātur. Nunc
verba Cicerōnis lēniter fātus est: "Haec studia adulēscentiam alunt, senectūtem oblectant, secundās rēs ōrnant, adversīs perfugium ac sōlācium praebent, dēlectant domī, nōn
impediunt forīs." Fēlīx tamen numquam sē iactāvit neque,
tamquam sapientior quam aliī, suam scientiam prōpōnere
cōnātus est. Eī potius vīsum est tabernam exercēre, ubi
librōs facere et vēndere posset. Hoc petere cōnstituit.

Utrum hoc statim faceret an prius ad exercitum cum
Quīntō īret cōnstituere nōn poterat. Sī servus ad exercitum
īvit, nōn armīs exercitābātur neque in cohortem cōnscrī-
bēbātur, sed exemplum fideī praebēbat, nam dominum ē
perīculō ēripiēbat, et sī dominus cecidit pugnābat ut corpus
servāret. Patrem Quīntī ergō ob hās causās Fēlīx cōnsuluit.
Quod Caesar in patriā ubi Fēlīx nātus est bellum gerēbat,
Mūciī cōnstituērunt sē Fēlīcem in Galliam nōn missūrōs
esse nē nimis recentem caedem suōrum cōnspiceret neu
fidē Rōmae continērī dēsisteret. Potestās ineundī cōnsilī
statim igitur Fēlīcī data est et mox albā veste indūtus
tabernae praeerat. Haec taberna Fēlīcī et in iuventūte et
senectūte grāta erat.

Cum Quīntus patrem petīvisset, diū conloquēbantur. Pater cōnsilium Quīntī probābat neque cōnātus est fīliō persuādēre nē hoc faceret. Uterque idem sēnsit. Etsī rēs pūblica ex aliō in alium cāsum cadit, cīvēs quī patriam commūnem amant cīvitātem iuvāre dēbent. Omnēs cīvēs iuvāre dēbent. Quisque iuvāre dēbet. Turpe est cīvem cīvitātem relinquere nē ipse dolōre afficiātur. Scientia iūris cīvīlis quidem est nōn impedīmentō sed subsidiō cīvitātī. Hoc et Quīntus et pater crēdidērunt. Itaque pater Quīntum cohortātus est ut cōnsilium sequerētur.

Pater igitur suā sponte Mārcum Tullium Cicerōnem vīsitāvit. Cicerō, ut anteā dictum est, maximē rem pūblicam amāvit, et omnia faciēbat ut eam servāret. Accidit ut frāter Cicerōnis, Quīntus Tullius Cicerō, esset lēgātus apud Caesarem, et Mārcus ipse saepe litterās ad Caesarem mitteret ut ab imperātōre peteret ut quendam īnsignem iuvenem in cohortem cōnscrīberet. Cicerō, quī Q. Mūcium augurem secūtus erat, semper erat familiāris Mūciōrum et summam voluntātem in eōs habēbat. Nunc laetus Quīntō frātrī et Caesarī litterās mīsit ut Q. Mūcius in rēbus mīlitāribus ā Caesare exercērētur.

Sīve Caesar calamitātem reī pūblicae prōvidēbat et iuvenēs optimōs familiārēs suōs facere voluit, sīve Cicerōnem sibi iungere dēsīderāvit, quācumque ratiōne Cicerō impetrāvit ut Q. Mūcius in Caesaris exercitū in rēbus mīlitāribus exercērētur. Mox ad longinqua castra Quīntus profectus est.

Mōs erat Rōmānīs per fīnēs Rōmānōs et per nātiōnēs vic-
tās viās mūnītās perdūcere eā ratiōne, ut exercitūs celeriter
sē etiam forīs movērent et ut rēs frūmentāriae quae exercitūs
alunt facile prōvidērentur. Per tālēs viās, aliīs iuvenibus
quī ad Caesarem proficīscēbantur comitibus, Quīntus celeriter iter fēcit.

Multīs diēbus in itinere cōnsūmptīs, tandem ad castra
Caesaris iuvenēs pervēnērunt et prīmum Quīntus Caesarem
vīdit. Quīntus, ut hunc hominem, lautum, vestibus pur-
pureīs indūtum, vīdit, modum vīvendī cīvis Rōmānī etiam in
silvīs eum servāre scīvit. Statim sēnsit sē īnsignem virum
invēnisse. Ācer oculīs, magnā auctōritāte, litterīs etiam in
castrīs dēlectātus, imperātor omnibus modīs ostendit sē
esse virum dignum quī aliōs dūceret et cui aliī sē tūtē
committerent. Ācriter Caesar Quīntum perspexit. Cum
Caesar dextram dextrae iungeret, Quīntus sēnsit sē semper
per adulēscentiam, per senectūtem summā voluntāte Caesarem sequī velle.

Cum Caesare per aestātem reliquam manēbat et multa
discēbat. Cum exercitū itinera fēcit; cum aliīs castra
posuit; mūneribus omnī genere functus est; in Britanniam
vectus est ubi impetūs hostium sustinuit, hostēs secūtus est,
omnia fēcit quae facienda sunt sī iuvenis rēs mīlitārēs
discere vult. Aestāte cōnsūmptā, Caesar cum ad Galliam
revertisset, exercitum dīvīsit et legiōnēs aliās aliā in parte
statuit. Quod Quīntum litterīs studēre cognōvit, eum cum
Quīntō Cicerōne, quī similis Mārcō frātrī litterīs dēlectā-
bātur et carmina scrībere etiam in castrīs nōn dēsistēbat,
manēre iussit. Caesar ipse in antīquam prōvinciam Galliae
ad conventūs agendōs proficīscī voluit. Caesare nōndum
profectō, coniūrātiō Gallōrum facta est. Nōn nūllīs annīs
posteā Mūciī Rōmae verba Caesaris ipsīus dē proeliō ab
hīs Gallīs commissō lēgērunt. Haec sunt verba Caesaris:

Quod eō annō frūmentum in Galliā propter siccitātēs angustius prōvēnerat, Caesar coāctus est aliter ac superiōribus annīs exercitum in hībernīs conlocāre legiōnēsque in plūrēs cīvitātēs distribuere. Ūnam legiōnem, quam proximē trāns Padum cōnscrīpserat, et cohortēs quīnque in Eburōnēs, quōrum pars maxima est inter Mosam ac Rhēnum, quī sub imperiō Ambiorīgis et Catuvolcī erant, mīsit. Hīs mīlitibus Quīntum Titūrium Sabīnum et Lūcium Aurunculeium Cottam lēgātōs praeesse iussit.

Post diēs circiter quīndecim prīncipēs Eburōnum, Indūtiomārī Trēverī nūntiīs impulsī, suōs incitāvērunt subitōque oppressīs lignātōribus magnā manū ad castra oppugnanda vēnērunt. Cum celeriter nostrī arma cēpissent vāllumque ascendissent atque, ūnā ex parte Hispānīs equitibus ēmissīs, equestrī proeliō superiōrēs fuissent, dēspērātā rē hostēs suōs ab oppugnātiōne redūxērunt. Tum suō mōre clāmāvērunt utī aliquī ex nostrīs ad conloquium prōdīret: habēre sēsē quae dē rē commūnī dīcere vellent, quibus rēbus contrōversiās minuī spērārent.

Mittitur ad eōs conloquendī causā Gāius Arpineius, eques Rōmānus, familiāris Titūrī, et Quīntus Iūnius ex Galliā quīdam; apud quōs Ambiorīx ad hunc modum locūtus est: esse Galliae commūne cōnsilium; omnibus hībernīs Caesaris oppugnandīs hunc esse dictum diem, nē qua legiō alterī legiōnī subsidiō venīre posset. Monēre, ōrāre Titūrium prō hospitiō ut suae ac mīlitum salūtī cōnsulat. Magnam manum Germānōrum conductam Rhēnum trānsīsse; hanc affore bīduō. Ipsōrum esse cōnsilium velintne, priusquam fīnitimī sentiant, ēductōs ex hībernīs mīlitēs aut ad Cicerōnem aut ad Labiēnum dēdūcere, quōrum alter mīlia passuum circiter quīnquāgintā, alter paulō amplius ab iīs absit. Illud sē pollicērī et iūre iūrandō cōnfirmāre, tūtum sē iter per suōs fīnēs datūrum. Hāc ōrātiōne habitā discēdit Ambiorīx.

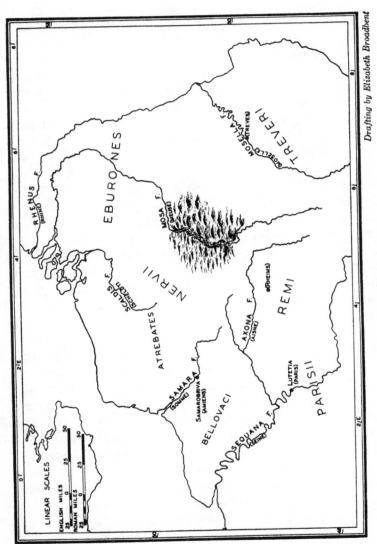

The Northeast Part of Gaul

Drafting by Elizabeth Broadbent

Arpineius et Iūnius quae audierant ad lēgātōs dēferunt. Illī repentīnā rē perturbātī, etsī ab hoste ea dīcēbantur, tamen nōn neglegenda exīstimābant, maximēque hāc rē permovēbantur, quod cīvitātem ignōbilem et hūmilem Eburōnum suā sponte populō Rōmānō bellum facere ausam vix erat crēdendum. Itaque ad cōnsilium rem dēferunt, magnaque inter eōs exsistit contrōversia. Lūcius Aurunculeius complūrēsque tribūnī mīlitum et prīmōrum ōrdinum centuriōnēs nihil temere agendum neque ex hībernīs iniussū Caesaris discēdendum exīstimābant; quantāsvīs cōpiās Germānōrum sustinērī posse mūnītīs hībernīs docēbant; rem esse testimōniō, quod prīmum hostium impetum multīs ultrō vulneribus illātīs fortissimē sustinuerint; rē frūmentāriā nōn premī; intereā et ex proximīs hībernīs et ā Caesare conventūra subsidia; postrēmō quid esse levius aut turpius quam auctōre hoste dē summīs rēbus capere cōnsilium?

Contrā ea Titūrius sērō factūrōs clāmābat, cum maiōrēs manūs hostium adiūnctīs Germānīs convēnissent, aut cum aliquid calamitātis in proximīs hībernīs esset acceptum. Brevem cōnsulendī esse occāsiōnem. Caesarem sē arbitrārī profectum in Italiam. Sēsē nōn hostem auctōrem, sed rem spectāre; subesse Rhēnum. Suam sententiam in utramque partem esse tūtam: sī nihil esset dūrius, nūllō cum perīculō ad proximam legiōnem perventūrōs; sī Gallia omnis cum Germānīs cōnsentīret, ūnam esse in celeritāte positam salūtem. Cottae quidem sī nōn praesēns perīculum, at certē longinquā obsidiōne famēs esset timenda.

Hāc in utramque partem disputātiōne habitā, cum ā Cottā prīmīsque ōrdinibus ācriter resisterētur, "Vincite," inquit, "sī ita vultis," Sabīnus, et id clāriōre vōce, ut magna pars mīlitum audīret; "neque is sum," inquit, "quī gravissimē ex vōbīs mortis perīculō terrear; hī sapient; sī gravius quid acciderit, abs tē ratiōnem poscent."

Cōnsurgitur ex cōnsiliō; comprehendunt utrumque et
ōrant nē suā dissēnsiōne rem in summum perīculum dē-
dūcant: facilem esse rem, seu maneant, seu proficīscantur,
sī modo ūnum omnēs sentiant ac probent; contrā in dissēnsiōne nūllam sē salūtem perspicere. Rēs disputātiōne ad
mediam noctem perdūcitur. Tandem dat Cotta permōtus
manūs; superat sententia Sabīnī. Nūntiātur prīmā lūce
itūrōs. Cōnsūmitur vigiliīs reliqua pars noctis, cum sua
quisque mīles circumspectāret, quid sēcum portāre posset,
quid relinquere cōgerētur. Omnia cōgitantur quārē nec sine
perīculō maneātur et languōre mīlitum et vigiliīs perīculum
augeātur. Prīmā lūce sīc ex castrīs proficīscuntur ut quibus
esset persuāsum nōn ab hoste, sed ab homine amīcissimō cōnsilium datum, longissimō agmine maximīsque impedīmentīs.

At hostēs, postquam ex nocturnō fremitū vigiliīsque dē
profectiōne eōrum sēnsērunt, conlocātīs īnsidiīs bipertītō in
silvīs opportūnō atque occultō locō ā mīlibus passuum circiter duōbus, Rōmānōrum adventum exspectābant, et, cum
sē maior pars agminis in magnam vallem dēmīsisset, ex
utrāque parte eius vallis subitō sē ostendērunt novissimōsque
premere et prīmōs prohibēre ascēnsū atque inīquissimō
nostrīs locō proelium committere coepērunt.

Tum dēnique Titūrius, quī nihil ante prōvīdisset, trepi-
dāre et concursāre cohortēsque dispōnere, haec tamen ipsa
timidē. At Cotta qui cōgitāsset haec posse in itinere acci-
dere, atque ob eam causam profectiōnis auctor nōn fuisset,
nūllā in rē commūnī salūtī deerat. Cum propter longitūdinem agminis nōn facile omnia per sē obīre et quid quōque
locō faciendum esset prōvidēre possent, iussērunt nūntiārī
ut impedīmenta relinquerent atque in orbem cōnsisterent.
Quod cōnsilium etsī in eius modī cāsū reprehendendum nōn
est, tamen incommodē accidit; nam et nostrīs mīlitibus
spem minuit et hostēs ad pugnam ācriōrēs effēcit, quod nōn
sine summō timōre id factum vidēbātur.

At barbarīs cōnsilium nōn dēfuit. Nam ducēs eōrum tōtā aciē nūntiārī iussērunt nē quis ab locō discēderet: illōrum esse praedam atque illīs reservārī quaecumque Rōmānī relīquissent; itaque omnia in victōriā posita exīstimārent. Nostrī etsī ab duce et ā fortūnā dēserēbantur, tamen omnem spem salūtis in virtūte pōnēbant, et quotiēns quaeque cohors prōcurrerat, ab eā parte magnus numerus hostium cadēbat. Quā rē animadversā Ambiorīx nūntiārī iubet ut procul tēla coniciant neu propius accēdant et quam in partem Rōmānī impetum fēcerint cēdant.

Quō praeceptō ab iīs dīligentissimē observātō, cum quaedam cohors ex orbe excesserat atque impetum fēcerat, hostēs celerrimē refugiēbant. Interim eam partem nūdārī necesse erat et ab latere apertō tēla recipere. Rūrsus, cum in eum locum unde erant ēgressī revertī coeperant, et ab iīs quī cesserant et ab iīs quī proximē steterant circumveniēbantur; sīn autem locum tenēre vellent, nec virtūtī locus relinquēbātur neque ā tantā multitūdine coniecta tēla cōnfertī vītāre poterant. Tamen tot incommodīs dēfessī, multīs vulneribus acceptīs resistēbant et magnā parte diēī cōnsūmptā, cum ā prīmā lūce ad hōram octāvam pugnārētur, nihil quod ipsīs esset indignum committēbant. Lūcius Cotta lēgātus omnēs cohortēs ōrdinēsque cohortāns in adversum ōs vulnerātur.

Hīs rēbus permōtus Quīntus Titūrius, cum procul Ambiorīgem suōs cohortantem cōnspexisset, interpretem suum, Gnaeum Pompeium, ad eum mittit rogātum ut sibi mīlitibusque parcat. Ille appellātus respondet: sī velit sēcum conloquī, licēre. Ille cum Cottā vulnerātō loquitur, sī videātur, pugnā ut excēdant et cum Ambiorīge ūna conloquantur: spērāre sē ab eō dē suā ac mīlitum salūte impetrārī posse. Cotta sē ad armātum hostem itūrum negat atque in eō persevērat.

Sabīnus quōs tribūnōs mīlitum circum sē habēbat et prīmōrum ōrdinum centuriōnēs sē sequī iubet, et, cum propius
Ambiorīgem accessisset, iussus arma abicere imperātum facit
suīsque ut idem faciant imperat. Interim, dum dē condi-
ciōnibus inter sē agunt longiorque cōnsultō ab Ambiorīge
īnstituitur sermō, paulātim circumventus interficitur.

Tum vērō suō mōre victōriam conclāmant atque ululā-
tum tollunt impetūque in nostrōs factō ōrdinēs perturbant.
Ibi Lūcius Cotta pugnāns interficitur cum maximā parte
mīlitum. Reliquī sē in castra recipiunt, unde erant ēgressī.
Ex quibus Lūcius Petrosidius aquilifer, cum magnā multitūdine hostium premerētur, aquilam intrā vāllum prōiēcit,
ipse prō castrīs fortissimē pugnāns occīditur. Illī aegrē ad
noctem oppugnātiōnem sustinent; nocte ad ūnum omnēs
dēspērātā salūte sē ipsī interficiunt. Paucī ex proeliō lāpsī
incertīs itineribus per silvās ad Titum Labiēnum lēgātum
in hīberna perveniunt atque eum dē rēbus gestīs certiōrem
faciunt.

Hāc victōriā sublātus Ambiorīx statim cum equitātū in
Atuatucōs, quī erant eius rēgnō fīnitimī, proficīscitur; neque
noctem neque diem morātur, peditātumque sē subsequī iubet. Rē dēmōnstrātā Atuatucīsque incitātīs, posterō diē
in Nerviōs pervenit hortāturque nē suī in perpetuum lī-
berandī atque ulcīscendī Rōmānōs prō iīs quās accēperint
iniūriīs occāsiōnem dīmittant; interfectōs esse lēgātōs duōs
magnamque partem exercitūs necātam esse dēmōnstrat:
nihil esse negōtī subitō oppressam legiōnem quae cum Cicerōne hiemet interficī; sē ad eam rem profitētur adiū-
tōrem. Facile hāc ōrātiōne Nerviīs persuādet.

Itaque statim dīmissīs nūntiīs, quam maximās manūs possunt cōgunt et ad Cicerōnis hīberna volant, nōndum ad eum
fāmā dē Titūrī morte perlātā.

Huic quoque accidit, quod fuit necesse, ut nōn nūllī mīlitēs, quī lignātiōnis mūnītiōnisque causā in silvās discessissent, repentīnō equitum adventū interciperentur. Hīs circumventīs magnā manū Eburōnēs, Nerviī, Atuatucī atque hōrum omnium sociī et clientēs legiōnem oppugnāre incipiunt. Nostrī celeriter ad arma currunt, vāllum ascendunt. Aegrē is diēs sustinētur, quod omnem spem hostēs in celeritāte pōnēbant atque hanc adeptī victōriam in perpetuum sē fore victōrēs cōnfīdēbant.

Mittuntur ad Caesarem statim ā Cicerōne litterae magnīs prōpositīs praemiīs, sī pertulissent; obsessīs omnibus viīs missī intercipiuntur. Noctū ex māteriā quam mūnītiōnis causā portāverant turrēs circiter centum vigintī excitantur incrēdibilī celeritāte, quae deesse operī vidēbantur perficiuntur. Hostēs posterō diē multō maiōribus coāctīs cōpiīs castra oppugnant, fossam complent. Ā nostrīs eādem ratiōne quā prīdiē resistitur. Hoc idem reliquīs fit diēbus. Nūlla pars nocturnī temporis ad labōrem intermittitur; nōn aegrīs, nōn vulnerātīs facultās quiētis datur. Quaecumque ad proximī diēī oppugnātiōnem opus sunt noctū parantur; multae praeustae sudēs, magnus mūrālium pīlōrum numerus īnstituitur; turrēs aedificantur, pinnae lorīcaeque ex crātibus attexuntur. Ipse Cicerō, cum validus nōn esset, nē nocturnum quidem sibi tempus ad quiētem relinquēbat.

Tum ducēs prīncipēsque Nerviōrum, quī aliquem sermōnis aditum causamque amīcitiae cum Cicerōne habēbant, conloquī sēsē velle dīcunt. Factā potestāte, eadem quae Ambiorīx cum Titūriō ēgerat nārrant: omnem esse in armīs Galliam; Germānōs Rhēnum trānsīsse; Caesaris reliquōrumque hīberna oppugnārī.

Addunt etiam dē Sabīnī morte; Ambiorīgem ostentant fideī faciendae causā. Errāre eōs dīcunt, sī quicquam ab eīs praesidī spērent quī suīs rēbus diffīdant; sēsē tamen hōc esse in Cicerōnem populumque Rōmānum animō, ut nihil nisi hīberna recūsent; licēre illīs incolumibus per sē ex hībernīs discēdere et quāscumque in partēs velint sine metū proficīscī. Cicerō ad haec ūnum modo respondet: nōn esse cōnsuētūdinem populī Rōmānī accipere ab hoste armātō condiciōnem; sī ab armīs discēdere velint, sē adiūtōre ūtantur lēgātōsque ad Caesarem mittant; spērāre sē prō eius iūstitiā quae petierint impetrātūrōs.

Ab hāc spē repulsī Nerviī vāllō pedum decem et fossā pedum quīndecim hīberna cingunt. Haec et superiōrum annōrum cōnsuētūdine ā nōbīs cognōverant et, quōsdam dē exercitū nactī captīvōs, ab hīs docēbantur; sed nūllā ferrāmentōrum cōpiā quae esset ad hunc ūsum idōnea, gladiīs terram caedere, manibus sagulīsque terram exhaurīre cōgēbantur. Quā quidem ex rē hominum multitūdō cognōscī potuit; nam minus hōrīs tribus mīlium pedum XV in circuitum mūnītiōnem perfēcērunt, reliquīsque diēbus turrēs ad altitūdinem vāllī, testūdinēsque, quās īdem captīvī docuerant, parāre ac facere coepērunt.

Septimō oppugnātiōnis diē maximō coortō ventō ferventia iacula in casās, quae mōre Gallicō strāmentīs erant tēctae, iacere coepērunt. Hae celeriter ignem comprehendunt et ventī magnitūdine in omnem locum castrōrum distulērunt. Hostēs maximō clāmōre, sīcutī partā iam victōriā, turrēs testūdinēsque agere et vāllum ascendere coepērunt. At tanta mīlitum virtūs atque ea praesentia animī fuit ut, cum undique flammā torrērentur maximāque tēlōrum multitūdine premerentur suaque omnia impedīmenta atque omnēs fortūnās in flammīs esse intellegerent, nōn modo dē vāllō discēderet nēmō, sed paene nē respiceret quidem quisquam.

Hic diēs nostrīs longē gravissimus fuit; sed tamen hunc habuit ēventum, ut eō diē maximus numerus hostium vulnerārētur atque interficerētur. Paulum quidem intermissā flammā et quōdam locō turrī adāctā et contingente vāllum, tertiae cohortis centuriōnēs ex eō quō stābant locō recessērunt suōsque omnēs remōvērunt, nūtū vōcibusque hostēs, sī inīre vellent, vocāre coepērunt; quōrum prōgredī ausus est nēmō. Tum ex omnī parte lapidibus coniectīs perturbātī, turrisque incēnsa est.

Erant in eā legiōne fortissimī virī, centuriōnēs, quī iam prīmīs ōrdinibus appropinquārent, Titus Pullō et Lūcius Vorēnus. Hī perpetuās inter sē contrōversiās habēbant uter alterī anteferrētur, omnibusque annīs dē locō contendēbant. Ex hīs Pullō cum ācerrimē ad mūnītiōnēs pugnārētur, "Quid dubitās," inquit, "Vorēne? Aut quem locum tuae probandae virtūtis exspectās? Hic diēs dē nostrīs contrōversiīs iūdicābit." Haec cum dīxisset, prōcēdit extrā mūnītiōnēs, quaeque hostium pars cōnfertissima est vīsa in eam ruit. Nē Vorēnus quidem sēsē tum vāllō continet, sed omnium veritus opīniōnem subsequitur. Mediocrī spatiō relictō Pullō pīlum in hostēs mittit atque ūnum ex multitūdine prōcurrentem trāicit; quō trāiectō et interfectō, hunc scūtīs tegunt hostēs, in illum cūnctī tēla coniciunt neque dant prōgrediendī facultātem. Trānsfīgitur scūtum Pullōnī. Hic cāsus gladium ēdūcere cōnantī dextram morātur manum, impedītumque hostēs circumveniunt. Succurrit inimīcus illī Vorēnus et labōrantem iuvat. Ad hunc sē statim ā Pullōne omnis multitūdō vertit. Gladiō rem gerit Vorēnus atque ūnō interfectō reliquōs paulum repellit; dum cupidius īnstat, in locum dēiectus inferiōrem concidit.

Huic rūrsus circumventō fert subsidium Pullō, atque ambō incolumēs summā cum laude sēsē intrā mūnītiōnēs recipiunt. Sīc fortūna in contentiōne et certāmine utrumque versāvit ut alter alterī inimīcus auxiliō salūtīque esset, neque iūdicārī posset uter utrī virtūte anteferendus vidērētur. Quantō erat in diēs gravior atque asperior oppugnātiō, et maximē quod magnā parte mīlitum cōnfectā vulneribus rēs ad paucitātem dēfēnsōrum pervēnerat, tantō crēbriōrēs litterae nūntiīque ad Caesarem mittēbantur; quōrum pars dēprehēnsa in cōnspectū nostrōrum mīlitum cum cruciātū necābātur. Erat ūnus intus Nervius, nōmine Verticō, locō nātus honestō, quī ā prīmā obsidiōne ad Cicerōnem fūgerat summamque eī fidem dēmōnstrāverat. Hic servō spē lībertātis magnīsque persuādet praemiīs ut litterās ad Caesarem dēferat. Hās ille iaculō illigātās effert et Gallus inter Gallōs sine ūllā suspīciōne versātus ad Caesarem pervenit.

Caesar acceptīs litterīs hōrā circiter ūndecimā diēī, statim nūntium in Bellovacōs ad Mārcum Crassum quaestōrem mittit, cuius hīberna aberant ab eō mīlia passuum XXV; iubet mediā nocte legiōnem proficīscī celeriterque ad sē venīre. Exit cum nūntiō Crassus. Alterum ad Gaium Fabium lēgātum mittit ut in Atrebātium fīnēs legiōnem addūcat, quā sibi iter faciendum sciēbat. Scrībit Labiēnō, sī reī pūblicae commodō facere possit, cum legiōne ad fīnēs Nerviōrum veniat. Reliquam partem exercitūs, quod paulō aberat longius, nōn putat exspectandam; equitēs circiter quadringentōs ex proximīs hībernīs cōgit.

Hōrā circiter tertiā dē Crassī adventū certior factus eō diē mīlia passuum XX prōcēdit, Crassum Samarobrīvae praeficit legiōnemque eī attribuit, quod ibi impedīmenta exercitūs, obsidēs cīvitātum, litterās pūblicās frūmentumque omne relinquēbat. Fabius, ut imperātum erat, nōn ita multum morātus in itinere cum legiōne occurrit.

Labiēnus interitū Sabīnī et caede cohortium cognitā, cum omnēs ad eum Trēverōrum cōpiae vēnissent, veritus nē, sī ex hībernīs fugae similem profectiōnem fēcisset, hostium impetum sustinēre nōn posset, praesertim quōs recentī victōriā efferrī scīret, litterās Caesarī remittit quantō cum perīculō legiōnem ex hībernīs ēductūrus esset; rem gestam in Eburōnibus scrībit; docet omnēs cōpiās Trēverōrum tria mīlia passuum longē ab suīs castrīs cōnsēdisse.

Caesar cōnsiliō eius probātō, etsī opīniōne trium legiōnum dēiectus ad duās reciderat, tamen ūnum commūnis salūtis auxilium in celeritāte pōnēbat. Venit magnīs itineribus in Nerviōrum fīnēs. Ibi ex captīvīs cognōscit quae apud Cicerōnem gerantur. Tum cuidam ex equitibus Gallīs magnīs praemiīs persuādet utī ad Cicerōnem epistulam dēferat. Hanc Graecīs cōnscrīptam litterīs mittit, nē interceptā epistulā nostra ab hostibus cōnsilia cognōscantur. Sī adīre nōn possit, monet ut trāgulam cum epistulā ad āmentum illigātā intrā mūnītiōnēs castrōrum abiciat. In litterīs scrībit sē cum legiōnibus profectum celeriter affore; hortātur ut prīstinam virtūtem retineat. Gallus perīculum veritus, ut erat praeceptum, trāgulam mittit. Haec cāsū ad turrim adhaesit neque ā nostrīs bīduō animadversa tertiō diē ā quōdam mīlite cōnspicitur, dēmpta ad Cicerōnem dēfertur. Ille perlēctam in conventū mīlitum recitat maximāque omnēs laetitiā afficit. Tum fūmī incendiōrum procul vidēbantur; quae rēs omnem dubitātiōnem adventūs legiōnum expulit.

Gallī rē cognitā per explōrātōrēs obsidiōnem relinquunt, ad Caesarem omnibus cōpiīs contendunt. Haec erant armāta circiter mīlia LX. Cicerō datā facultāte Gallum ab eōdem Verticōne quem suprā dēmōnstrāvimus repetit quī litterās ad Caesarem dēferat; hunc admonet iter cautē dīligenterque faciat; scrībit in litterīs hostēs ab sē discessisse omnemque ad eum multitūdinem convertisse.

Quibus litterīs circiter mediā nocte Caesar allātīs suōs facit certiōrēs eōsque ad dīmicandum animō cōnfirmat. Posterō diē lūce prīmā movet castra et circiter mīlia passuum quattuor prōgressus trāns vallem et rīvum multitūdinem hostium cōnspicātur. Erat magnī perīculī rēs cum tantīs cōpiīs inīquō locō dīmicāre; tum, quoniam obsidiōne līberātum Cicerōnem sciēbat, aequō animō remittendum dē celeritāte exīstimābat. Cōnsēdit et quam aequissimō locō potest castra commūnit atque haec, etsī erant exigua per sē, vix hominum mīlium septem, praesertim nūllīs cum impedīmentīs, tamen angustiīs viārum quam maximē potest contrahit, eō cōnsiliō, ut in summam contemptiōnem hostibus veniat. Interim speculātōribus in omnēs partēs dīmissīs explōrat quō commodissimē itinere vallem trānsīre possit.

Eō diē parvulīs equestribus proeliīs ad aquam factīs utrīque sēsē suō locō continent: Gallī, quod ampliōrēs cōpiās, quae nōndum convēnerant, exspectābant; Caesar, sī forte timōris simulātiōne hostēs in suum locum ēlicere posset, ut citrā vallem proeliō contenderet; sī id efficere nōn posset, ut explōrātīs itineribus minōre cum perīculō vallem rīvumque trānsīret. Prīmā lūce hostium equitātus ad castra accēdit proeliumque cum nostrīs equitibus committit. Caesar cōnsultō equitēs cēdere sēque in castra recipere iubet; simul ex omnibus partibus castra altiōre vāllō mūnīrī portāsque obstruī atque in hīs administrandīs rēbus quam maximē concursārī et cum simulātiōne agī timōris iubet.

Quibus omnibus rēbus hostēs invītātī cōpiās trādūcunt aciemque inīquō locō cōnstituunt, nostrīs vērō etiam dē vāllō dēductīs propius accēdunt et tēla intrā mūnītiōnem ex omnibus partibus coniciunt praecōnibusque circummissīs prōnūntiārī iubent, seu quis Gallus seu Rōmānus velit ante hōram tertiam ad sē trānsīre, sine perīculō licēre; post id tempus nōn fore potestātem.

Ac sīc nostrōs contempsērunt, ut, obstrūctīs in speciem portīs, quod eā nōn posse inīre vidēbantur, aliī vāllum manū scindere, aliī fossās complēre inciperent. Tum Caesar omnibus portīs ēruptiōne factā equitātūque ēmissō celeriter hostēs in fugam dat, sīc utī omnīnō pugnandī causā resisteret nēmō, magnumque ex iīs numerum occīdit atque omnēs armīs exuit. Longius prōsequī veritus, quod silvae palūdēsque intercēdēbant, omnibus suīs incolumibus eōdem diē ad Cicerōnem pervenit. Īnstitūtās turrēs, testūdinēs mūnītiōnēsque hostium admīrātur; legiōne prōductā cognōscit nōn decimum quemque esse reliquum mīlitem sine vulnere; ex hīs omnibus iūdicat rēbus quantō cum perīculō et quantā cum virtūte rēs sint administrātae. Cicerōnem prō eius meritō legiōnemque laudat; centuriōnēs tribūnōsque mīlitum appellat, quōrum ēgregiam fuisse virtūtem testimōniō Cicerōnis cognōverat. Dē cāsū Sabīnī et Cottae certius ex captīvīs cognōscit. Posterō diē contiōne habitā rem gestam prōpōnit et mīlitēs cōnfirmat; quod dētrīmentum culpā lēgātī sit acceptum, hoc aequiōre animō ferendum docet, quod beneficiō deōrum immortālium et virtūte eōrum neque hostibus diūtina laetitia neque ipsīs longior dolor relinquātur.

Interim ad Labiēnum per Rēmōs incrēdibilī celeritāte dē victōriā Caesaris fāma perfertur, ut, cum ab hībernīs Cicerōnis mīlia passuum abesset circiter LX eōque post hōram nōnam diēī Caesar pervēnisset, ante mediam noctem ad portās castrōrum clāmor orerētur, quō clāmōre significātiō victōriae ab Rēmīs Labiēnō fieret. Hāc fāmā ad Trēverōs perlātā Indūtiomārus, quī posterō diē castra Labiēnī oppugnāre dēcrēverat, noctū prōfugit cōpiāsque omnēs in Trēverōs redūcit. Caesar Fabium cum suā legiōne remittit in hīberna, ipse cum tribus legiōnibus circum Samarobrīvam trīnīs hībernīs hiemāre cōnstituit et, quod tantī mōtūs Galliae exstiterant, tōtam hiemem ipse ad exercitum manēre dēcrēvit.

Eō tempore ubi Mūciī Rōmae haec verba lēgērunt, nōn iam in Galliā C. Iūlius Caesar pugnābat. Gallia iam erat pars imperī Rōmānī. Caesar victor inde in Italiam reverterat, inde per aequora in Graeciam, in Asiam, in Āfricam, etiam in exterās nātiōnēs iter fēcerat ut imperium īnstitueret. Rōmae omnia perturbāta erant. Omnēs regiōnēs quidem tōtīus orbis terrārum perturbātae erant. Multī cīvēs Rōmānī Caesarem ūnum praesidiō cīvitātī esse sēnsērunt. Huic grātiam omnibus referendam esse exīstimāvērunt. Aliīs tamen Caesar crūdēlis rēx vīsus est. Hī eum in omnem ōram maritimam ignem et ferrum ferre, omnibus sociīs dolōrem cōnferre professī sunt. "Tāle scīlicet est scelus istīus adiūtōris," hī conclāmābant.

Mūciī amīcī Caesaris erant. Quīntus in hībernīs quibus Q. Cicerō praeerat hiemem ēgerat. Famem et obsidiōnem cum mīlitibus pertulerat. Sē fortem et gravem et fīdum dēmōnstrāverat. Inde Rōmam reverterat ut cursum honōrum inīret. Decemvir stlītibus iūdicandīs quidem factus est. Haec tamen nōn erant tempora quibus quisquam laudem et glōriam adipīscerētur. Omnēs modo spērābant mox aliquem omnia meliōra factūrum esse. Quaecumque acciderent perferēbant, et mūneribus fungēbantur. Sīc agēbant Mūciī.

Dum Quīntus in Galliā artem bellī discit, Rōmae Fēlīx tabernam īnstituit. Hīc exempla librōrum fīēbant et vēndēbantur. Prīmō Fēlīx ipse exempla fēcerat, sed ut plūra exempla quam ipse facere poterat vēndī coepta sunt, aliī servī artem didicērunt. Tabernam magnam mox Fēlīx habuit et omnēs librōs optimōs et novissimōs vēndidit.

Quōdam diē vehementer permōtus in peristȳlium cucurrit. "Novum librum habeō," inquit. "C. Iūlius Caesar dē bellō cīvīlī scrīpsit."

Prīmum Quīntus, aliīs audientibus, rēs gestās Decimī Brūtī, quem ipse in Galliā cognōverat, recitāvit. Hae rēs

Massiliae, quam urbem ipse vīderat et mīrātus est, gestae
sunt. Haec sunt verba quibus Caesar dē certāmine nārrat:

Haec dum inter eōs aguntur, Domitius nāvibus Massiliam pervenit atque ab iīs receptus urbī praeficitur: summa
eī bellī administrandī permittitur. Eius imperiō classem
quōquōversus dīmittunt: onerāriās nāvēs, quās ubīque
possunt, dēprehendunt atque in portum dēdūcunt, parum
clāvīs aut māteriā atque armāmentīs īnstrūctīs ad reliquās
armandās reficiendāsque ūtuntur; frūmentī quod inventum
est in pūblicum cōnferunt; reliquās mercēs commeātūsque
ad obsidiōnem urbis, si accidat, reservant. Quibus iniūriīs
permōtus Caesar legiōnēs trēs Massiliam addūcit; turrēs
vīneāsque ad oppugnātiōnem urbis agere, nāvēs longās Arelate numerō XII facere īnstituit. Quibus effectīs armātīs-
que diēbus XXX, ā quō diē māteria caesa est, adductīsque
Massiliam, hīs D. Brūtum praeficit; C. Trebōnium lēgātum
ad oppugnātiōnem Massiliae relinquit. . . .

Dum haec ad Ilerdam geruntur, Massiliēnsēs ūsī L. Domitī cōnsiliō nāvēs longās expediunt numerō XVII, quārum erant XI tēctae. Multa hūc minōra nāvigia addunt, ut ipsā multitūdine nostra classis terreātur. Magnum numerum sagittāriōrum, magnum Albicōrum, dē quibus suprā dēmōnstrātum est, impōnunt atque hōs praemiīs pollicitātiōnibusque incitant. Certās sibi dēposcit nāvīs Domitius atque hās colōnīs pāstōribusque, quōs sēcum addūxerat, complet. Sīc omnibus rēbus īnstrūctā classe magnā fidūciā ad nostrās nāvīs prōcēdunt, quibus praeerat D. Brūtus. Hae ad īnsulam, quae est contrā Massiliam, statiōnēs obtinēbant.

Erat multō īnferior numerō nāvium Brūtus; sed ēlēctōs ab omnibus legiōnibus fortissimōs virōs, antesignānōs, centuriōnēs, Caesar eī classī attribuerat, quī sibi id mūneris dēpoposcerant. Hī manūs ferreās atque harpagōnēs parāverant magnōque numerō pīlōrum, trāgulārum reliquōrumque tēlōrum sē īnstrūxerant. Ita cognitō hostium adventū suās nāvēs ex portū ēdūcunt, cum Massiliēnsibus cōnflīgunt. Pugnātum est utrimque fortissimē atque ācerrimē, neque multum Albicī nostrīs virtūte cēdēbant, hominēs asperī et montānī et exercitātī in armīs; atque hī modo dīgressī ā Massiliēnsibus recentem eōrum pollicitātiōnem animīs continēbant, pāstōrēsque illī Domitī spē lībertātis excitātī sub oculīs dominī suam probāre operam studēbant.

Ipsī Massiliēnsēs et celeritāte nāvium et scientiā gubernātōrum cōnfīsī nostrōs ēlūdēbant impetūsque eōrum nōn excipiēbant et, quoad licēbat lātiōre ūtī spatiō, prōductā longius aciē circumvenīre nostrōs aut plūribus nāvibus adorīrī singulās aut rēmōs trānscurrentēs dētergēre, sī possent, contendēbant.

Cum propius erat necessāriō ventum, ab scientiā gubernātōrum atque artificiīs ad virtūtem montānōrum cōnfugiēbant. Nostrī cum minus exercitātīs rēmigibus minusque perītīs gubernātōribus ūtēbantur, quī repente ex onerāriīs nāvibus erant prōductī nequedum etiam vocābulīs armāmentōrum cognitīs, tum etiam tarditāte et gravitāte nāvium impediēbantur; factae enim subitō ex ūmidā māteriā nōn eundem ūsum celeritātis habuerant. Itaque, dum locus comminus pugnandī darētur, aequō animō singulās bīnīs nāvibus obiciēbant atque iniectā manū ferreā et retentā utrāque nāve dīversī pugnābant atque in hostium nāvēs trānscendēbant. Et magnō numerō Albicōrum et pāstōrum interfectō partem nāvium dēprimunt, nōn nūllās cum hominibus capiunt, reliquās in portum compellunt. Eō diē nāvēs Massiliēnsium cum hīs quae sunt captae intereunt VIIII.

"Haec pugna," inquit Quīntus, "ut Massiliēnsēs ipsī arbitrātī sunt, neque bellum cōnficere poterat, neque Massiliēnsēs dēterrēre quīn classem suam reficerent. Veterēs nāvēs ex lītore dēductās refēcērunt et sociīs acceptīs iterum classem ad pugnam īnstrūxērunt. Audīte quālis fuerit illa pugna!"

Eōdem Brūtus contendit auctō nāvium numerō. Nam ad eās quae factae erant Arelate per Caesarem captīvae Massiliēnsium accesserant sex. Hās superiōribus diēbus refēcerat atque omnibus rēbus īnstrūxerat. Itaque suōs cohortātus, quōs integrōs superāvissent, ut victōs contemnerent, plēnus speī bonae atque animī adversus eōs proficīscitur.

Facile erat ex castrīs C. Trebōnī atque omnibus superiōribus locīs prōspicere in urbem, ut omnis iuventūs, quae in oppidō remānserat, omnēsque superiōris aetātis cum līberīs atque uxōribus ex pūblicīs locīs custōdiīsque aut mūrō ad caelum manūs tenderent aut templa deōrum immortālium adīrent et ante simulācra prōiectī victōriam ab dīs exposcerent. Neque erat quisquam omnium, quīn in eius diēī cāsū suārum omnium fortūnārum ēventum cōnsistere exīstimāret. Nam et honestī ex iuventūte et cuiusque aetātis amplissimī nōminātim ēvocātī atque obsecrātī nāvēs cōnscenderant, ut, sī quid adversī accidisset, nē ad cōnandum quidem sibi quicquam reliquī fore vidērent, sī superāvissent, vel domesticīs opibus vel externīs auxiliīs dē salūte urbis cōnfīderent.

Commissō proeliō Massiliēnsibus rēs nūlla ad virtūtem dēfuit; sed memorēs eōrum praeceptōrum, quae paulō ante ab suīs accēperant, hōc animō dēcertābant, ut nūllum aliud tempus ad cōnandum habitūrī vidērentur, et quibus in pugnā vītae perīculum accideret, nōn ita multō sē reliquōrum cīvium fātum antecēdere exīstimārent, quibus urbe captā eadem esset bellī fortūna patienda. Dīductīsque nostrīs paulātim nāvibus et artificiō gubernātōrum et mōbilitātī nāvium locus dabātur; et sī quandō nostrī facultātem nactī ferreīs manibus iniectīs nāvem religāverant, undique suīs labōrantibus succurrēbant. Neque vērō coniūnctī Albicī comminus pugnandō dēficiēbant neque multum cēdēbant virtūte nostrīs. Simul ex minōribus nāvibus magna vīs ēminus missa tēlōrum multa nostrīs dē imprōvīsō imprūdentibus atque impedītīs vulnera īnferēbant. Cōnspicātaeque nāvēs trirēmēs duae nāvem D. Brūtī, quae ex īnsignī facile agnōscī poterat, duābus ex partibus sēsē in eam incitāverant. Sed tantum rē prōvīsā Brūtus celeritāte nāvis ēnīsus est, ut parvō mōmentō antecēderet.

Illae adeō graviter inter sē incitātae cōnflīxērunt, ut vehementissimē utraque ex concursū labōrārent, altera vērō praefrāctō rōstrō tōta conlabefieret. Quā rē animadversā quae proximae eī locō ex Brūtī classe nāvēs erant, in eās impedītās impetum faciunt celeriterque ambās dēprimunt. Sed Nāsīdiānae nāvēs nūllō ūsuī fuērunt celeriterque pugnā excessērunt; nōn enim hās aut cōnspectus patriae aut propinquōrum praecepta ad extrēmum vītae perīculum adīre cōgēbant: itaque ex eō numerō nāvium nūlla dēsīderāta est. Ex Massiliēnsium classe V sunt dēpressae, IIII captae, ūna cum Nāsīdiānīs prōfūgit; quae omnēs citeriōrem Hispāniam petīvērunt. Et ex reliquīs ūna praemissa Massiliam huius nūntiī perferendī grātiā cum iam appropinquāret urbī, omnis sēsē multitūdō ad cognōscendum effūdit, et rē cognitā tantus lūctus excēpit, ut urbs ab hostibus capta eōdem vēstīgiō vidērētur. Massiliēnsēs tamen nihilō setius ad dēfēnsiōnem urbis reliqua apparāre coepērunt.

Postrīdiē eius diēī Quīntus Fēlīcī dīxit eō magis sē mīrārī quō diūtius dē sapientiā ac dignitāte Caesaris cōgitāret. "Dignī eī quibus cōnfīdēbat saepe nōn erant," inquit Quīntus. "Quoniam ipse fidem numquam āmīsit, quam perditī eī videntur quī fidem nōn dēmōnstrāverint! Sine ut legam dē duōbus Gallīs quibus Dyrrachī Caesar cōnfīdēbat."

Erant apud Caesarem in equitum numerō Allobrogēs II frātrēs, Roucillus et Egus, Abducillī fīliī, quī prīncipātum in cīvitāte multīs annīs obtinuerat, singulārī virtūte hominēs, quōrum operā Caesar omnibus Gallicīs bellīs optimā fortissimāque erat ūsus. Hīs domī ob hās causās amplissimōs magistrātūs mandāverat atque eōs extrā ōrdinem in senātum legendōs cūrāverat agrōsque in Galliā ex hostibus captōs praemiaque reī pecūniāriae magna tribuerat locuplētēsque ex egentibus fēcerat.

Hī propter virtūtem nōn sōlum apud Caesarem in honōre erant, sed etiam apud exercitum cārī habēbantur; sed frētī amīcitiā Caesaris et stultā ac barbarā arrogantiā ēlātī dēspiciēbant suōs stīpendiumque equitum fraudābant et praedam omnem domum āvertēbant. Quibus illī rēbus permōtī ūniversī Caesarem adiērunt palamque dē eōrum iniūriīs sunt questī et ad cētera addidērunt falsum ab iīs equitum numerum dēferrī, quōrum stīpendium āverterent. Caesar neque tempus illud animadversiōnis esse exīstimāns et multa virtūtī eōrum concēdēns rem tōtam sustulit; illōs sēcrētō castīgāvit, quod quaestuī equitēs habērent, monuitque, ut ex suā amīcitiā omnia exspectārent et ex praeteritīs suīs officiīs reliqua spērārent. Magnam tamen haec rēs illīs offēnsiōnem et contemptiōnem ad omnēs attulit, idque ita esse cum ex aliōrum obiectātiōnibus, tum etiam ex domesticō iūdiciō atque animī cōnscientiā intellegēbant. Quō pudōre adductī et fortasse nōn sē līberārī, sed in aliud tempus reservārī arbitrātī, discēdere ab nōbīs et novam temptāre fortūnam novāsque amīcitiās experīrī cōnstituērunt. Et cum paucīs conlocūtī clientibus suīs, quibus tantum facinus committere audēbant, prīmum cōnātī sunt praefectum equitum C. Volusēnum interficere — ut posteā bellō confectō cognitum est — ut cum mūnere aliquō perfūgisse ad Pompeium vidērentur; postquam id facinus difficilius vīsum est neque facultās perficiendī dabātur, quam maximās potuērunt pecūniās mutuātī, proinde ac sī suīs satis facere et fraudāta restituere vellent, multīs coēmptīs equīs ad Pompeium trānsiērunt cum iīs quōs suī cōnsiliī participēs habēbant.

"Caesarem mīror," inquit Quīntus, "nōn sōlum propter virtūtem, sed etiam propter artem mīlitārem. Sīve terrā sīve marī, sīve contrā barbarōs sīve contrā exercitātōs mīlitēs, sīve in campīs sīve in montibus pugnat, artem optimam ostendit. Prope fīnem ultimī librī dē proeliō in viīs Alexandrīae pugnātō nārrat. Potestne fierī ut hoc quoque audiās?"

Fēlīce nōn recūsante, Quīntus hoc recitāvit.

Hīs cōpiīs fīdēns Achillās paucitātemque mīlitum Caesaris dēspiciēns occupābat Alexandrīam praeter eam oppidī partem quam Caesar cum mīlitibus tenēbat, prīmō impetū domum eius inrumpere cōnātus; sed Caesar dispositīs per viās cohortibus impetum eius sustinuit. Eōdemque tempore pugnātum est ad portum, ac longē maximam ea rēs attulit dīmicātiōnem. Simul enim dīductīs cōpiīs plūribus viīs pugnābātur et magnā multitūdine nāvīs longās occupāre hostēs cōnābantur; quārum erant L auxiliō missae ad Pompeium proeliōque in Thessaliā factō domum redierant, quadrirēmēs omnēs et quīnquerēmēs aptae īnstrūctaeque omnibus rēbus ad nāvigandum, praeter hās XXII, quae praesidiī causā Alexandrīae esse cōnsuērant, cōnstrātae omnēs; quās sī occupāvissent, spērābant fore ut classe Caesarī ēreptā portum ac mare tōtum in suā potestāte habērent, commeātū auxiliīsque Caesarem prohibērent. Itaque tantā est contentiōne āctum, quantā agī dēbuit, cum illī celerem in eā rē victōriam, hī salūtem suam cōnsistere vidērent. Sed rem obtinuit Caesar omnēsque eās nāvēs et reliquās, quae erant in nāvālibus, incendit, quod tam lātē tuērī parvā manū nōn poterat, cōnfestimque ad Pharum nāvibus mīlitēs exposuit.

Pharus est in īnsulā turris magnā altitūdine, mīrificīs operibus exstrūcta, quae nōmen ab īnsulā cēpit. Haec īnsula obiecta Alexandrīae portum efficit; sed ā superiōribus

rēgibus in longitūdinem passuum DCCCC in mare iactīs
mōlibus angustō itinere et ponte cum oppidō coniungitur.
In hāc sunt īnsulā domicilia Aegyptiōrum et vīcus oppidī
magnitūdine; quaeque ubīque nāvēs imprūdentiā aut tem-
pestāte paulum suō cursū dēcessērunt, hās mōre praedōnum
dīripere cōnsuērunt. Iīs autem invītīs, ā quibus Pharos
tenētur, nōn potest esse propter angustiās nāvibus introitus
in portum. Hoc tum veritus Caesar hostibus in pugnā
occupātīs mīlitibusque expositīs Pharon prehendit atque
ibi praesidium posuit. Quibus est rēbus effectum, ut tūtō
frūmentum auxiliaque nāvibus ad eum supportārī possent.

Ōlim per lātam viam Rōmae mātūrābat (vel properābat)
vir cuius nōmen nōtum erat per tōtum orbem terrārum.
Postquam bella multōs annōs per multās terrās gesta sunt,
dēnique omnibus hostibus pācātīs per tōtum orbem terrārum
pāx erat, pāx Augusta ut Rōmānī aiēbant. Pācem et amī-
citiam cōnstituere et servāre omnibus temporibus difficile
fuit. Hic vir ergō quī cūrās magnās prō cīvitāte et prīn-
cipe Augustō suscēperat tamquam immāne pondus cūrārum
perferēbat. Vultus erat trīstis et frōns nōn erat serēna.
Dum ante ingēns aedificium ambulat ex interiōre tēctō
laetās vōcēs audīvit. Līberī laetē rīdēbant. Vir morābātur
et ipse rīdēbat ut līberōs audiēbat.

"Nepōtēs meī amīcī, Q. Mūcī Scaevolae," putāvit vir,
"lūdunt et rīdent ut genitor et avus prius lūdēbant et
rīdēbant. Nōn est dubium quīn fīliī Q. Mūcī Fēlīcis cum
eīs lūdant, nam hī puerī tamquam frātrēs et cōnsanguineī
in tēctō reperiuntur."

Dum haec exīstimat, servī tabernam prope iānuam aperiē-
bant et vir Q. Mūcium Fēlīcem iuvenem intrā stantem vīdit.

"Salvē, Q. Mūcī Fēlīx," inquit vir. "Māne labōrēs servī
tuī incipiunt."

"Ita," respondit iuvenis. "Exempla novī librī faciunt.
Pater meus arbitrātur hunc esse librum īnsignem quem complūrēs optent. Sī tot hōs librōs dēposcunt quot carmina
Vergilī et Horātī dēposcēbant, magnā cum difficultāte eōs
satis vēlōciter faciēmus. Priusquam librī optentur, ut multōs parātōs habeāmus pater hortātur."

"Estne pater tuus validus?"

"Pater meus nōn aeger est; mēns est ācris, oculī sunt
splendidī, sed manus nōn est firma et senectūs eum tardum
reddidit."

"Quid iam facit? Venitne hūc?"

"Ita vērō. Multum legit. Iūdiciō eius dē librō semper
nītimur, proptereā quod iterum atque iterum sī aliēnum

iūdicium valuit nōs paenituit.   Multum quoque cum Q.
Mūciō Scaevolā sene conloquitur."

"Estne patrōnus tuus quoque validus?"

"Ita, et dignus vir est Q. Mūcius Scaevola.   Senectūs eum
quoque comprehendit sed animus adhūc iuvenis est.   Strepi-
tus nepōtum eius et fīliōrum meōrum eī grātus est.   Is
quoque multum legit et mēns numquam dormit."

"Dignus homō vērō est Q. Mūcius Scaevola," putāvit vir
ut ad Forum vēstīgia iterum vertēbat.   "Quam diū tālēs
hominēs Rōma pariet, tam diū nōn frūstrā manēbit Rōma.
Nūllum negōtium est nimis magnum, nūllum onus est nimis
grave quīn prō cīvitāte id perferam.   Salvē, Rōma aeterna!"

FORMS AND SYNTAX

FORMS AND SYNTAX

I

1. A noun is the name of something.
2. There are five classes of Latin nouns. The class to which a noun belongs depends upon the final letter of the stem of the noun. The five classes are given below with examples that you know under each stem ending.

ā	o	consonant or i	u	ē
puella	amīcus	imperātor	exercitus	rēs
	puer	māter	cornū	diēs
	vir	dux		
	oppidum	animal		

II

1. The endings of Latin nouns show their case and number.
2. The nominative case is used for the subject of a sentence. In the English sentence *The boy is good, boy* is the subject and is in the nominative case. In the Latin sentence **Puer est bonus, puer** is the subject and is in the nominative case.
3. The nominative case is used for the predicate noun or adjective. In the sentence **Puer est Mārcus, Mārcus** is the predicate noun and is in the nominative case.
4. An appositive of a nominative case is in the nominative case. In the sentence **Mārcus, amīcus meus, est puer bonus, amīcus** modified by **meus** is an appositive of **Mārcus,** the subject, and is in the nominative case.
5. The forms of the nominative case for each class of Latin nouns, singular and plural, are given below.

	ā	o	consonant or i	u	ē
Singular	puella	amīcus	imperātor	exercitus	rēs
		oppidum	animal	cornū	
Plural	puellae	amīcī	imperātōrēs	exercitūs	rēs
		oppida	animālia	cornua	

6. Note that neuter plurals end in **a.**

71

III

1. In the sentence **Pater puerum laudat, puerum,** the person whom the father praises, is the direct object and is in the accusative case.

2. The forms of the accusative, singular and plural, of each of the five classes of nouns are given below.

	ā	o	consonant or i	u	ē
Singular	puellam	amīcum	imperātōrem	exercitum	rem
		oppidum	animal	cornū	
Plural	puellās	amīcōs	imperātōrēs	exercitūs	rēs
		oppida	animālia	cornua	

3. Note that the singular ends in **m** and the plural in **s** except in neuters. Neuter accusatives are like neuter nominatives.

4. The accusative case is used with some prepositions. Of these we have had **ad, ante, apud, circum, extrā, in** (into), **inter, intrā, per, post, prope, propter, sub** (if there is motion up to a thing), **trāns.** In the sentence **Ante aedificium erat nūllum spatium, aedificium** is an accusative used as object of the preposition **ante.**

5. The accusative is used to denote the place to which one goes. With the names of cities or towns, small islands, **domus,** and **rūs** no preposition is used. Otherwise **ad, in,** or **sub** is found. The following examples show the correct usage.

> Vir ad Forum ībat.
> Imperātor ad Asiam īvit.
> Imperātor Rōmam rediit.
> Imperātor domum rediit.

6. The accusative is used without a preposition to express duration of time, extent of space, or degree. Occasionally the preposition **per** occurs to express duration of time. Examples follow in the order given.

> Multōs annōs (*or* per multōs annōs) pugnāverat.
> Multa mīlia passuum iter fēcerat.
> Maximam partem vīcerat.

7. The accusative is used as the subject of an infinitive. This is an example:

> Pater puerum bonum esse iussit.

IV

1. Verbs as well as nouns fall into different classes because of differences of stem vowels. There are four classes of verbs. The letters distinguishing them are given below with an example that you know under each.

ā	ē	e	ī
laudō	moneō	dūcō	audiō
		capiō	

2. This division into classes becomes more clear when we look at the principal parts of these verbs. There are four principal parts. The first, the **first person singular present active indicative**, starts the verb off. The second, the **present active infinitive**, shows us the present stem of the verb. The third, the **first person singular perfect active indicative**, shows us the perfect stem of the verb. The fourth, the **perfect passive participle**, shows us the participial stem. The four principal parts of each of the verbs given above as examples appear below with their three stems indicated. The stem in each case is the part before the vertical line.

laudō	laudā|re	laudāv|ī	laudāt|um
moneō	monē|re	monu|ī	monit|um
dūcō	dūce|re	dūx|ī	duct|um
capiō	cape|re	cēp|ī	capt|um
audiō	audī|re	audīv|ī	audīt|um

V

1. The personal endings, active voice, of verbs are:

	Singular	Plural
1st Person	ō, m	mus
2nd Person	s	tis
3d Person	t	nt

2. The present tense of an ā verb is made thus: present stem plus personal endings. The forms, then, are:

laudō	laudāmus
laudās	laudātis
laudat	laudant

Note the loss of **a** in the first person singular and the shortened vowels before final **t** and **nt**.

3. The past or imperfect tense of an ā verb is made thus: present
stem plus **bā** plus personal endings. The forms are:

laudā ba m	laudā bā mus
laudā bā s	laudā bā tis
laudā ba t	laudā ba nt

Note the shortened vowels before final **m, t,** and **nt.**

4. The future tense of an ā verb is made thus: present stem plus **bi**
plus personal endings. The forms, then, are:

laudā b ō	laudā bi mus
laudā bi s	laudā bi tis
laudā bi t	laudā bu nt

Note the loss of i in the first person singular, the change to u in the
third person plural.

VI

1. The personal endings of the perfect tense are:

	Singular	Plural
1st Person	ī	imus
2nd Person	istī	istis
3d Person	it	ērunt, ēre

2. The perfect tense is made thus: perfect stem plus perfect endings.
The forms are:

laudāv ī	laudāv imus
laudāv istī	laudāv istis
laudāv it	laudāv ērunt, laudāv ēre

3. The pluperfect or past perfect tense is made thus: perfect stem
plus **erā** plus regular personal endings. The forms are:

laudāv era m	laudāv erā mus
laudāv erā s	laudāv erā tis
laudāv era t	laudāv era nt

4. The future perfect tense is made thus: perfect stem plus **eri** plus
regular personal endings. The forms are:

laudāv er ō	laudāv eri mus
laudāv eri s	laudāv eri tis
laudāv eri t	laudāv eri nt

Note the loss of i in the first person singular.

VII

1. The personal endings of the passive voice are:

	Singular	*Plural*
1st Person	or, r	mur
2nd Person	ris, re	minī
3d Person	tur	ntur

2. As in the active, the present passive of an ā verb is formed thus: present stem plus passive personal endings. The forms are:

laudor	laudāmur
laudāris	laudāminī
laudātur	laudantur

3. The past or imperfect tense passive of an ā verb is formed thus: present stem plus **bā** plus passive personal endings. The forms are:

laudā ba r	laudā bā mur
laudā bā ris	laudā bā minī
laudā bā tur	laudā ba ntur

4. The future tense passive of an ā verb is formed thus: present stem plus **bi** plus passive personal endings. The forms are:

laudā b or	laudā bi mur
laudā be ris	laudā bi minī
laudā bi tur	laudā bu ntur

Note that the i of **bi** is lost in the first person singular, that it is changed to **e** in the second person singular, and that it is changed to **u** in the third person plural.

VIII

1. The perfect tense passive voice consists of the participial stem with a gender ending and the present tense of the verb **sum**, which serves as an auxiliary verb in this form. The forms are:

laudātus sum	laudātī sumus
laudātus es	laudātī estis
laudātus est	laudātī sunt

2. The past perfect or pluperfect tense passive consists of the participial stem with gender endings and the past tense of the verb **sum**. The forms are:

laudātus eram   laudātī erāmus
laudātus erās   laudātī erātis
laudātus erat   laudātī erant

3. The future perfect tense passive consists of the participial stem with gender endings and the future tense of the verb **sum**. The forms are:

laudātus erō   laudātī erimus
laudātus eris   laudātī eritis
laudātus erit   laudātī erunt

IX

1. The rules given above for the formation of different tenses, active and passive, hold throughout for ā verbs and also for ē verbs, except that the ē is changed to e in the first person singular of the present indicative. They hold for *all* verbs in the perfect system.

2. The present tense of e verbs like **dūcō** is as follows:

Active Voice

dūcō   dūcimus
dūcis   dūcitis
dūcit   dūcunt

Passive Voice

dūcor   dūcimur
dūceris   dūciminī
dūcitur   dūcuntur

Note the loss of e in the first person singular, the weakening of e to i in other forms except the second singular passive, and the change of e to u in the third person plural.

3. The past or imperfect tense of verbs like **dūcō** is exactly like the same tense of ē verbs.

4. The future tense of verbs like **dūcō** is made by using the present stem with a change of vowel plus the personal endings. The vowel used in the first person singular is ā. In other forms the vowel is ē, but ā or ē is shortened before final **m, r, t, nt**, or **ntur**. The forms are:

Active		*Passive*	
dūcam	dūcēmus	dūcar	dūcēmur
dūcēs	dūcētis	dūcēris	dūcēminī
dūcet	dūcent	dūcētur	dūcentur

X

1. The present tense of verbs like **capiō** is:

Active		*Passive*	
capiō	capimus	capior	capimur
capis	capitis	caperis	capiminī
capit	capiunt	capitur	capiuntur

Note that the forms are the same as those of **dūcō** except in the first person singular and third person plural.

2. The past or imperfect tense of **capiō** retains the i of the first form. The forms are:

Active		*Passive*	
capiēbam	capiēbāmus	capiēbar	capiēbāmur
capiēbās	capiēbātis	capiēbāris	capiēbāminī
capiēbat	capiēbant	capiēbātur	capiēbantur

3. The future tense of **capiō** likewise retains the i of the first form. The forms are:

Active		*Passive*	
capiam	capiēmus	capiar	capiēmur
capiēs	capiētis	capiēris	capiēminī
capiet	capient	capiētur	capientur

4. The present tense of ī verbs is:

Active		*Passive*	
audiō	audīmus	audior	audīmur
audīs	audītis	audīris	audīminī
audit	audiunt	audītur	audiuntur

5. The past or imperfect tense and the future tense of ī verbs are exactly the same as those of **capiō**.

XI

1. There are some verbs in Latin which are passive in form but active in meaning. These verbs are called *deponent*. They have three principal parts and two stems. The perfect stem is lacking because that stem is used for active forms only. The principal parts of three of these verbs which we have had are:

cōnor	cōnārī	cōnātus sum
polliceor	pollicērī	pollicitus sum
patior	patī	passus sum

2. To get the present stem of either of the first two verbs above we drop the last two letters from the second principal part (the infinitive). To get the participial stem of any of them we drop the last two letters of the participle. The last verb, **patior**, is like **capiō**, as the infinitive shows. To get the present stem of this verb it is necessary to imagine the active infinitive, **patere**, and then drop the last two letters.

3. A synopsis of **patior**, third person singular is:

Present	patitur	*Perfect*	passus est
Past or Imperfect	patiēbātur	*Pluperfect*	passus erat
Future	patiētur	*Future Perfect*	passus erit

XII

1. The present active infinitive of every verb is the second principal part of the verb. To form the present passive infinitive of ā, ē, and ī verbs, substitute ī for the final **e** of the active infinitive. In **e** verbs, substitute ī for the last three letters, **ere**. The forms are:

Active	*Passive*
laudāre	laudārī
monēre	monērī
dūcere	dūcī
capere	capī
audīre	audīrī

2. The perfect active infinitive is formed by the perfect stem plus **isse**. The perfect passive infinitive consists of the participial stem with gender endings and the present infinitive of the verb **sum**. The forms are:

Active	*Passive*
laudāvisse	laudātus esse
monuisse	monitus esse
dūxisse	ductus esse
cēpisse	captus esse
audīvisse	audītus esse

3. The future active infinitive is formed by the participial stem plus **ūr** plus the gender endings and the present infinitive of **sum**. The forms are:

laudātūrus esse	captūrus esse
monitūrus esse	audītūrus esse
ductūrus esse	

4. The future passive infinitive is so rarely used that its forms will not be given here.

5. Note that deponent verbs have three infinitives: the present passive, the perfect passive, and the future active.

6. The tense of the infinitive does not denote absolute time, but time with reference to the verb on which the infinitive depends.

XIII

1. An infinitive may be used as subject of a sentence. In the sentence *To see is to believe*, the infinitive *to see* is the subject. In the sentence *It is necessary to go*, the infinitive *to go* is the subject. In the sentence **Necesse est īre**, the infinitive **īre** is the subject.

2. An infinitive may be used to complete the meaning of a verb. This is called a complementary infinitive. In the sentence *I am able to go*, the infinitive *to go* is a complementary infinitive. In the sentence **Īre possum**, the infinitive **Īre** is a complementary infinitive.

3. An infinitive may be used as the object of a verb. In the sentence *He ordered the man to go*, *the man to go* is used as object. The subject of the infinitive, *man*, would be in the accusative case in Latin, **Virum īre iussit.**

4. A specialized case of an infinitive used as object is its use to express an indirect statement after a verb of saying or thinking. In English this is usually expressed by a substantive clause introduced by *that*. In Latin an infinitive with subject accusative is used. The English sentence *He said that he knew this* in Latin would be **Dīxit sē hoc scīre** (*He said himself to know this*).

5. An infinitive may be used as an appositive. In the sentence *He said that he knew one thing, that his son had gone,* the last clause, *that his son had gone,* would be expressed in Latin by an infinitive, **fīlium suum īvisse** (*his son to have gone*).

6. None of the infinitives previously mentioned appears as the main verb of a sentence. The historical infinitive may be used as a main verb. It is used to get an effect of speed or vividness. It takes the place of a perfect or imperfect indicative. Its subject is in the nominative case. An example is **Hostēs dēcurrere, oppugnāre, sē recipere** (*The enemy rushed down, attacked, retreated*).

XIV

1. In the sentence *This boy is a good boy, this* and *good* are adjectives, the former pointing out the boy, the latter describing him. Since adjectives refer to and modify nouns, they must change their form to agree with the noun in number and case and in gender, too, as we can speak of *a good boy,* or *a good girl,* or *a good town.*

2. Many adjectives are declined like nouns of the **o** and **ā** declensions. The forms are:

	Masculine	*Feminine*	*Neuter*
Nominative Singular	bonus	bona	bonum
	miser	misera	miserum
	pulcher	pulchra	pulchrum
Nominative Plural	bonī	bonae	bona
	miserī	miserae	misera
	pulchrī	pulchrae	pulchra
Accusative Singular	bonum	bonam	bonum
	miserum	miseram	miserum
	pulchrum	pulchram	pulchrum
Accusative Plural	bonōs	bonās	bona
	miserōs	miserās	misera
	pulchrōs	pulchrās	pulchra

3. Note that the forms are exactly the same as those of nouns that you have learned before. It is necessary to watch keenly the forms that appear to decide which of the three words above a new adjective is like.

4. Other adjectives are declined like nouns with consonant or **i** stems. The forms are:

	Masculine	Feminine	Neuter
Nominative Singular	ācer	ācris	ācre
	brevis	brevis	breve
	pār	pār	pār
Nominative Plural	ācrēs	ācrēs	ācria
	brevēs	brevēs	brevia
	parēs	parēs	paria
Accusative Singular	ācrem	ācrem	ācre
	brevem	brevem	breve
	parem	parem	pār

The accusative plural is the same as the nominative plural.

XV

1. A participle is a verb form used as an adjective. An example in English is found in the expression *running water*, in which *running*, used as an adjective modifying *water*, is derived from the verb *run*. Another example is *an honored friend*, in which *honored*, derived from the verb *honor*, is used as an adjective modifying the noun *friend*.

2. A Latin verb may have four participles: the present active, the future active, the future passive, the perfect passive.

3. The present active participle is made thus: present stem plus **nt** plus gender endings. In the nominative singular we find **ns** instead of **nts**. The forms are:

laudāns   monēns   dūcēns   capiēns   audiēns

Note that in the participles of **capiō** and **audiō** both an i and an **e** appear.

4. The future active participle is made thus: participial stem plus **ūr** plus gender endings. The forms are:

laudātūrus   monitūrus   ductūrus   captūrus   audītūrus

Note that in English we cannot render a future active participle as a simple participle. **Puer mīlitēs ductūrus īre recūsāvit** in English becomes *The boy who was going to lead the soldiers refused to go.*

5. The future passive participle, often called the gerundive, is made thus: present stem plus **nd** plus gender endings. The forms are:

laudandus   monendus   dūcendus   capiendus   audiendus

6. The perfect passive participle is the fourth principal part of the verb. In giving the principal parts of a verb we usually give the neuter gender of the participle. The masculine forms are:

laudātus   monitus   ductus   captus   audītus

7. Deponent verbs retain all four participles. The perfect participle is passive in form but active in meaning. The present active and the future active participles are active in both form and meaning.

XVI

1. The ablative case is a fusion of three earlier cases, the true ablative (from), the instrumental (with), and the locative (in). From the first case we get *separative* (i.e., *from*) ablatives, from the second case we get *sociative* (i.e., *with*) ablatives, and from the third case we get *locative* (i.e., *in*) ablatives.

2. The ablative singular is the same as the stem of the noun, except that a short final vowel is lengthened and an **e** is added to a consonant stem. The last syllable of the ablative plural is **īs** or **bus**. The forms are:

	ā	o	consonant or i	u	ē
Singular	puellā	amīcō	imperātōre	exercitū	rē
		oppidō	animālī	cornū	
Plural	puellīs	amīcīs	imperātōribus	exercitibus	rēbus
		oppidīs	animālibus	cornibus	

3. The separative ablative is used to show several relationships. The first of these is that with the separative prepositions. In the sentence **Quīntus sine Fēlīce vēnit,** the ablative **Fēlīce** is used with the separative preposition **sine.** Other separative prepositions are **ā (ab), dē, ē (ex).**

4. The ablative is used for the personal agent. In the sentence **Opera ā servīs facta erant, servīs** is an ablative of personal agency.

Note that it denotes a person, that the preposition **ā** is used, and that the verb is passive.

5. The ablative is used to denote the material of which something is made. In the sentence **Bulla ex aurō facta est, aurō** is an ablative of material.

It is regularly used with **ex** or **dē.**

6. The following sentences illustrate the use of the ablative to denote the place from which action starts:

Cliēns ē Graeciā vēnerat.

Cliēns ex urbe vēnerat.

Cliēns Athēnīs vēnerat.

Cliēns rūre nōn vēnerat.

The preposition is normally used, but it is not used with the names of towns (or small islands), or with **domus** or **rūs**.

7. The ablative is used with verbs and adjectives denoting separation. Examples are:

Mūrō (*or* dē mūrō) dēiectī sunt.

Spē dēiectī sunt.

Locus perīculō (*or* ā perīculō) vacuus erat.

8. The ablative is used to denote parentage or origin. Examples are:

Hī Gallī ā Germānīs ortī sunt.

Clārissimō patre nātus est.

Note that remoter origin is expressed by **ortus** with **ā** or **ab** or by **prognātus** with **ē** or **ex**.

9. The ablative is used to denote the thing in accordance with which action takes place. The English sentence *He delivered a speech according to his custom* is rendered in Latin **Suō mōre ōrātiōnem habuit.** The ablative of accordance usually has no preposition, but occasionally **dē** is found.

10. The ablative may be used after a comparative to denote the thing from which one starts his comparison. In the sentence *Felix was taller than Quintus, Quintus* is the starting point established from which to reckon tallness. In Latin this sentence would be written **Fēlīx erat altior Quīntō.**

This sentence may also be written with no ablative, thus: **Fēlīx erat altior quam Quīntus.**

XVII

1. The sociative ablative is used to denote the relationships indicated in English by the preposition *with*. An example is: **Quīntus cum Germānīs nōn pugnāvit.**

2. The ablative of accompaniment indicates the person in whose company an action takes place. **Fēlīx ad Graeciam cum Quīntō īvit** is an example. The preposition **cum** is used except in certain military expressions.

3. The ablative is used to denote the circumstances attending action. If used, the preposition is **cum**. The English sentence *The boys came in amid great noise* would be written in Latin **Magnō strepitū puerī pervēnērunt**.

4. The means or instrument by which action is executed is in the ablative case. No preposition is used. An example is: **Fēlīx stilō scrībēbat**, *Felix was writing with a stilus*.

5. The route by which one travels is in the ablative. This is a specialized use of the ablative of means, so no preposition is used. An example is: **Puerī hāc viā īvērunt**, *The boys went by way of this street*.

6. The degree or measure of difference is expressed by an ablative. An example of this idea in English is: *Quintus was not a foot taller than Felix*, or *Quintus was not taller by a foot than Felix*. In Latin this sentence would be written **Quīntus pede altior quam Fēlīx nōn erat**, or **Quīntus pede altior Fēlīce nōn erat**.

7. The ablative is used with certain verbs and adjectives denoting plenty and want. An example is: **Ātrium erat complētum hominibus**, *The atrium was filled with men*.

8. Definite price and value and sometimes indefinite price are expressed by the ablative. An example is: **Vīnum parvō pretiō vēndidērunt**, *They sold wine at a low price*.

9. The ablative is used with the verbs **ūtor** (*use*), **fruor** (*enjoy*), **fungor** (*perform*), **potior** (*get possession of*), **vēscor** (*eat*), and their compounds. An example is: **Rōmānī stilō ūtēbantur**, *The Romans used a stilus*. This is really an ablative of means, meaning literally *The Romans employed themselves* or *made themselves useful by means of a stilus*.

10. A group of words unattached to any word in the sentence in English is called a nominative absolute. In Latin we find a like group of words in the ablative case, called an ablative absolute. The group of words usually contains a noun and a participle. An example is: **Hōc factō, puerī ad Graeciam iērunt**, *This done, the boys went to Greece*.

XVIII

1. The locative ablative is used with the prepositions **in** and **sub** to denote the place where something is done. An example is: **Sub monte pugnant**, *They are fighting at the foot of the mountain*.

2. Place in which is regularly expressed by the ablative with the preposition **in**. Names of towns and small islands, belonging to the ā or o declensions and singular, **domus**, and **rūs** retain the original locative

case. The locative of ā nouns ends in **ae**, that of **o** nouns ends in ī, that of **domus** is **domī**, and that of **rūs** is **rūrī**. Names of towns of the ā and o declensions in the plural and those of other declensions in the singular and plural are in the ablative case without a preposition. Examples of this usage are:

> In urbe mānsērunt.
> In Italiā mānsērunt.
> Rōmae mānsērunt.
> Athēnīs mānsērunt.
> Domī mānsērunt.

3. The ablative is used to express time. It regularly has no preposition. An example is: **Eō diē iuvenēs pervēnērunt.**

4. The ablative is used to show in what respect a thing is true. An example is: **Hic iuvenis est maior nātū,** *This young man is older (greater in respect to birth).*

5. The ablative is used with **dignus** and **indignus**. An example is: **Quīntus maiōribus dignus erat,** *Quintus was worthy of his ancestors.*

Note that in English we say *worthy of*, but that in Latin **dignus** or **indignus** is modified by an ablative.

6. The ablative is used to describe a person or thing. No preposition is used, but the noun in the ablative must be modified. An example is: **Mīles erat vir magnā magnitūdine,** *The soldier was a man of great size.*

7. Cause is expressed by the ablative. An example is: **Adventū puerōrum Mūciī laetī erant,** *The Mucii were happy over (because of) the coming of the boys.*

8. The manner in which an action is performed is expressed by the ablative with the preposition **cum**. **Cum** may be omitted if the noun in the ablative is modified by an adjective. An example is: **Quiēta iuvenēs magnō gaudiō (magnō cum gaudiō) spectābat.**

XIX

1. The genitive case expresses in general the relationships indicated in English by the preposition *of* or by the possessive form of a noun or pronoun.

2. The forms of the genitive are:

	ā	o	*consonant*	i	u	ē
Singular	puellae	puerī	mīlitis	hostis	exercitūs	reī
Plural	puellārum	puerōrum	mīlitum	hostium	exercituum	rērum

3. Genitive constructions of three kinds appear, with several specific uses under each. These are *genitives of possession, genitives of the whole,* and *objective genitives.*

4. The genitive shows possession or connection. An example is: **Pater Quīntī erat dux exercitūs.**

5. The possessive genitive may be used in the predicate. An example is: **Mīlitēs monēre est ducis,** *It is a leader's duty to warn his soldiers.* Note that in Latin no word for *duty* or *business* is used.

6. A word which is explanatory or appositional may be in the genitive. An example is: **Quīntus nomen praetōris habēre voluit.** Note that in English too we say *the name of praetor.*

7. The person from whom action originates may appear in the genitive. This is called a subjective genitive. An example is: **Adventus imperātōris mīlitēs incitāvit,** *The general's coming roused the soldiers.* This genitive may be identified by turning the genitive and the noun it modifies into a sentence of which the genitive is subject. In the example above the identifying sentence would be *The general came.*

8. The genitive denotes the whole of which a part is taken. An example is: **Multī iuvenum erant tribūnī mīlitum,** *Many of the young men were military tribunes.*

In English we may say *All of the men.* In Latin we say **Omnēs virī** because we do not refer to a part of a whole. Also in English we may say *Certain of the men* and *Three of the men.* In Latin we say **Quīdam ex virīs** and **Trēs ex virīs.**

9. The genitive is used with words of plenty and want. An example is: **Oculī Quiētae erant plēnī lacrimārum.**

10. The genitive is used to show the material of which a thing is composed. An example is: **Cohors iuvenum cōnscrīpta est,** *A cohort of young men was enrolled.*

11. The objective genitive is used as the object of certain verbs. **Potior,** *become master of,* is one of these. Verbs meaning *forget* and *remember* are others. An example is: **Caesar Galliae potīrī voluit.**

12. The genitive is used to show the object or application of a noun or adjective. An example is: **Multī Rōmānī cupiditāte potestātis adductī sunt,** *Many Romans were led on by a desire for power.*

13. The genitive with a modifier may be used to describe an object. An example is: **Hic est vir magnae virtūtis,** *This is a man of great courage.*

14. The genitive is used to express indefinite value. An example is: **Mūcii ēloquentiam parvī existimāvērunt,** *The Mucii considered public speaking of little value.*

XX

1. In the English sentence *He gave an opportunity for delivering an oration, oration* is the object of the verbal noun (gerund) *delivering*. In Latin the word for *oration* would be an objective genitive modifying the word for *opportunity* and the idea in *delivering* would be expressed by a verbal adjective (gerundive) modifying the word for *oration*. You remember that the gerundive is the future passive participle. The sentence in Latin, then, would be: **Facultātem ōrātiōnis habendae dedit.**

2. In the sentence *He gave an opportunity for speaking*, no noun is used as object of the English gerund *speaking*, so it is impossible to use the Latin gerundive, which is an adjective. We use, therefore, the Latin gerund, a verbal *noun* made by using the present stem plus nd plus case endings. The sentence in Latin would be: **Facultātem dīcendī dedit.**

3. The gerund is declined as an o noun in the singular number. There is no nominative case. The present active infinitive takes the place of the nominative. The forms of the gerund of **laudō** are:

Genitive	laudandī
Dative	laudandō
Accusative	laudandum
Ablative	laudandō

4. Another verbal noun used in Latin is called the supine. It is a u noun built on the participial stem. It appears in the accusative and ablative cases only. The forms of the supine of **laudō** are:

Accusative	laudātum
Ablative	laudātū

5. The accusative of the supine is used after verbs of motion to express purpose. The sentence *They sent ambassadors to seek peace* may be written **Lēgātōs pācem petītum mīsērunt.**

6. The ablative of the supine is used to show the respect in which a thing is true. For example, **Hoc est difficile factū** means *This is hard to do* (*hard in respect to the doing*).

7. The idea of necessity or duty is often expressed in Latin by a form that we call the passive periphrastic. It consists of the gerundive and a form of the verb **sum**. For example, **Hoc faciendum est** means *This must be done*, and **Bellum gerendum est** means *War must be waged*. Note that the form is passive and if the English sentence to be put into Latin is active it must be recast. For example, if we want to translate *He had*

to fight into Latin, we say **Pugnandum erat,** using the passive form, the gerundive, in the neuter with the impersonal verb (literally, *It was to-be-fought* or *It had to be fought*).

XXI

1. The dative case expresses the relationship indicated by the prepositions *to* or *for* in English, but not in the sense of the place to which action is directed.

2. The forms of the dative case are:

	ā	o	consonant or i	u	ē
Singular	puellae	puerō	mīlitī	exercituī	reī
Plural	puellīs	puerīs	mīlitibus	exercitibus	rēbus

Note that in the plural the dative forms are the same as those of the ablative.

3. The indirect object is in the dative case. In the sentence **Pater Quīntī Fēlīcī facultātem librōrum faciendōrum dedit** (*Quintus's father gave Felix the opportunity to make books*), the dative, **Fēlīcī,** is the indirect object.

4. The dative is used with a form of the verb **sum** to assert possession. The English sentence *Felix had a shop* in Latin may be expressed **Fēlīcī taberna erat. Fēlīcī** is a dative of the possessor.

5. The sentence *A slave went to war as an aid to his master,* if turned into Latin, would have two datives, thus: **Servus auxiliō dominō suō ad bellum ībat.** The first, **auxiliō** (*as an aid*), shows the *purpose* for which the subject serves and is called a dative of purpose. The second, **dominō** (*to his master*), is the person to whom the service refers and is called a dative of reference. These two uses appear together so frequently that they are often called *the double dative.*

6. The dative is used to express the agent with a passive periphrastic. Occasionally it is used with other verb forms. In the sentence **Fēlīcī hoc cōnstituendum erat** (*Felix had to decide this*), **Fēlīcī,** the person who had to do the deciding, is a dative of agency.

7. The dative is used with verbs and adjectives to show the direction or relation of the quality or attitude expressed. Examples are: **Gallī Rōmānīs amīcī erant,** *The Gauls were friendly to the Romans,* and **Quīntus bellō nōn studuit,** *Quintus was not eager for war.* The following words

used in this book take a dative of direction or relation: **amīcus, fīnitimus, proximus, similis, appropinquō, crēdō, parcō, pāreō, persuādeō, resistō, serviō, studeō.**

8. The dative is used with certain compound verbs. An example is: **Gallī fīnitimīs bellum īnferēbant,** *The Gauls were making war on their neighbors.* Compound verbs used in this book that take this dative are: **īnferō, praeficiō, praesum.**

XXII

1. Pronouns, which have the same case uses as nouns, are often irregular in form. The forms of the Latin personal pronouns for *I* and *you* are:

	Singular	Plural		Singular	Plural
Nominative	ego	nōs		tū	vōs
Genitive	meī	nostrum, nostrī		tuī	vestrum, vestrī
Dative	mihi	nōbīs		tibi	vōbīs
Accusative	mē	nōs		tē	vōs
Ablative	mē	nōbīs		tē	vōbīs

2. These pronouns may be used as reflexives, referring back to the subject. In **Tū tē laudās** (*You praise yourself*), **tē** is reflexive. The reflexive of the third person, meaning *himself, herself, itself,* or *themselves,* is declined as follows:

	Singular or Plural
Genitive	suī
Dative	sibi
Accusative	sē, sēsē
Ablative	sē, sēsē

3. The pronoun **is,** meaning *this, that, such,* or *he,* is declined in the nominative, genitive, and dative singular as follows:

	Masculine	Feminine	Neuter
Nominative	is	ea	id
Genitive	eius	eius	eius
Dative	eī	eī	eī

The accusative and ablative singular are declined like regular **o** and **ā** adjectives. The plural is regular throughout except that in the nominative masculine, and in the dative-ablative the forms ii or ī, and iīs or īs occur as well as the regular eī and eīs.

Is may also be used as an adjective with the meaning *this, that,* or *such.*

4. The pronoun **īdem, eadem, idem,** meaning *the same,* is declined like **is** with the suffix **dem** remaining unchanged. Forms of **is** that end in **m** change the **m** to **n,** as the accusative singular **eundem** and the genitive plural **eōrundem.**

Īdem may also be used as an adjective.

5. The pronoun **hic,** meaning *this* or *such,* is declined as follows:

	SINGULAR			PLURAL		
	Masculine	*Feminine*	*Neuter*	*Masculine*	*Feminine*	*Neuter*
Nominative	hic	haec	hoc	hī	hae	haec
Genitive	huius	huius	huius	hōrum	hārum	hōrum
Dative	huic	huic	huic	hīs	hīs	hīs
Accusative	hunc	hanc	hoc	hōs	hās	haec
Ablative	hōc	hāc	hōc	hīs	hīs	hīs

6. **Ille, illa, illud,** meaning *that* or *such,* has the genitive **illīus, illius, illīus,** and the dative **illī, illī, illī.** The other forms are regular. **Iste, ista, istud,** meaning *that* (near the person spoken to), is declined like **ille. Ipse, ipsa, ipsum,** meaning *self,* also is declined like **ille.**

7. The relative pronoun **quī,** meaning *who, which,* or *that,* is declined as follows:

	SINGULAR			PLURAL		
	Masculine	*Feminine*	*Neuter*	*Masculine*	*Feminine*	*Neuter*
Nominative	quī	quae	quod	quī	quae	quae
Genitive	cuius	cuius	cuius	quōrum	quārum	quōrum
Dative	cui	cui	cui	quibus	quibus	quibus
Accusative	quem	quam	quod	quōs	quās	quae
Ablative	quō	quā	quō	quibus	quibus	quibus

8. The interrogative pronoun is **quis,** meaning *who?* In the singular the feminine forms are identical with the masculine. The neuter nominative and accusative are **quid.** With these exceptions the declension is the same as that of the relative pronoun **quī.** Note that the plural has forms for all three genders. When the interrogative is used as an adjective the forms are exactly like those of the relative.

XXIII

1. To make the subjunctive mood, present tense, we use the present stem of the verb with a change of vowel plus the personal endings. The forms of the pattern verbs are:

Active		Passive	
laudem	laudēmus	lauder	laudēmur
laudēs	laudētis	laudēris	laudēminī
laudet	laudent	laudētur	laudentur
moneam	moneāmus	monear	moneāmur
moneās	moneātis	moneāris	moneāminī
moneat	moneant	moneātur	moneantur
dūcam	dūcāmus	dūcar	dūcāmur
dūcās	dūcātis	dūcāris	dūcāminī
dūcat	dūcant	dūcātur	dūcantur
capiam	capiāmus	capiar	capiāmur
capiās	capiātis	capiāris	capiāminī
capiat	capiant	capiātur	capiantur

The present subjunctive of **audiō** is exactly like that of **capiō**.

Note that ā is the sign of the present subjunctive in every conjugation except the first. There the sign is ē.

2. The past (imperfect) subjunctive is made by adding the personal endings to the entire present infinitive. The forms of **laudō** are:

Active		Passive	
laudārem	laudārēmus	laudārer	laudārēmur
laudārēs	laudārētis	laudārēris	laudārēminī
laudāret	laudārent	laudārētur	laudārentur

The forms of the other conjugations are made in the same fashion.

3. The perfect active subjunctive is formed thus: perfect stem plus **erī** plus personal endings. The forms of **laudō** are:

laudāverim	laudāverīmus
laudāverīs	laudāverītis
laudāverit	laudāverint

The perfect passive consists of the perfect passive participle and the present subjunctive of **sum.** The forms of **laudō** are:

laudātus sim	laudātī sīmus
laudātus sīs	laudātī sītis
laudātus sit	laudātī sint

The forms of the other conjugations are made in the same fashion.

4. The pluperfect active subjunctive is formed thus: the perfect stem plus **issē** plus the personal endings. The forms of **laudō** are:

laudāvissem	laudāvissēmus
laudāvissēs	laudāvissētis
laudāvisset	laudāvissent

The pluperfect passive subjunctive consists of the perfect passive participle and the past (imperfect) subjunctive of the verb **sum.** The forms of **laudō** are:

laudātus essem	laudātī essēmus
laudātus essēs	laudātī essētis
laudātus esset	laudātī essent

The forms of the other conjugations are made in the same fashion.

5. Note that there is no future and no future perfect subjunctive.

6. You will find a few Latin verbs that are irregular in the present subjunctive. Watch for them. One such verb is **sum,** whose present subjunctive you have found in the perfect passive subjunctive forms of other verbs.

7. Most of the subjunctives used in this book are illustrated by the following sentences:

A. **Eāmus,** *Let us go.* This is an independent volitive subjunctive, and shows that a person speaking wills or proposes action.

B. **Mīlitēs vēnērunt ut oppidum caperent,** *Soldiers came to capture the town (that they might capture the town).* This is a dependent volitive subjunctive clause used adverbially. It expresses will or purpose.

C. **Caesar imperāvit ut oppidum dēlērētur,** *Caesar commanded that the town be destroyed.* This also is a dependent volitive clause, but this one is used as a noun and the object of the verb **imperāvit.** We call it a volitive substantive clause.

D. **Cum oppidum dēlētum esset, oppidānī erant maestī,** *When the town had been destroyed, the townspeople were sad.* The subjunctive is used here in a **cum**-clause that describes the time or gives the situation for which the statement in the main clause was true.

8. Note that there is no *one* translation for the subjunctive mood. The English rendition depends on the meaning.

XXIV

Some of the more important cardinal numbers are:

1	ūnus, –a,–um	12	duodecim	50	quīnquāgintā	
2	duo, –ae, –o	13	trēdecim	60	sexāgintā	
3	trēs, tria	14	quattuordecim	70	septuāgintā	
4	quattuor	15	quīndecim	80	octōgintā	
5	quīnque	16	sēdecim	90	nōnāgintā	
6	sex	17	septendecim	100	centum	
7	septem	18	duodēvīgintī	200	ducentī	
8	octō	19	ūndēvīgintī	1000	mīlle	
9	novem	20	vīgintī	10,000	decem mīlia	
10	decem	30	trīgintā	100,000	centēna mīlia	
11	ūndecim	40	quadrāgintā	1,000,000	deciēns centēna mīlia	

EXERCISES FOR PRACTICE ON FORMS AND SYNTAX

(These Exercises are based on the principles in Forms and Syntax, pp. 71–93, having corresponding numbers.)

EXERCISE I

1. Pick out each noun in Chapter I and classify it in one of the five classes, changing the form in each instance to that of the nominative singular.

2. Did you have difficulty deciding where any noun belongs? Why?

EXERCISE II

Copy the following sentences, underline each nominative noun, decide on its use, and then write the sentences in Latin.

A. 1. The man was walking in the street; the boys were in the building.
2. The father of the boys, a friend of the man's, was in the house also.
3. The man was once a happy boy.

B. 1. The doorkeeper, a slave, cared for the door.
2. The atrium was a very beautiful place.
3. The garden was large.
4. The trees were in the garden.

EXERCISE III

Copy the following sentences, underline each noun or pronoun which in Latin would be in the accusative, and decide how each is used. Then translate the sentences into Latin.

A. 1. Quieta walked toward the fountain.
2. She looked at the boys.
3. The boys had been there many hours.
4. Quieta ordered the boys to come with her.
5. Quieta had come many miles from her own country to Rome.

B. 1. The boys walked toward the door.
2. For the most part they were good boys.
3. They were not able to run four miles.
4. Quieta said that the boys were good.
5. Quieta never went home to her own country.

C. 1. Quieta looked across the fountain.
2. She saw the two boys.
3. She knew that little boys move rapidly.
4. She had come many miles to Rome.
5. She had been there many years.

EXERCISE IV

Write the principal parts of the following verbs. Mark off each stem and tell to which class each verb belongs.

A. 1. properō
2. exspectō
3. rogō
4. concursō

5. dēsīderō
6. labōrō
7. sum

8. gerō
9. petō
10. videō

B. 1. ambulō
2. putō
3. eō
4. habeō

5. maneō
6. rīdeō
7. sedeō

8. teneō
9. dīcō
10. cupiō

C. 1. appellō
2. cūrō
3. portō
4. salūtō

5. spectō
6. stō
7. moveō

8. terreō
9. faciō
10. veniō

EXERCISE V

A. Write the principal parts of the following verbs, mark off each stem, and tell to which class each belongs.

1. clāmō
2. vocō
3. pāreō
4. sileō

5. dēsistō
6. fluō
7. lūdō

8. pōnō
9. prōcēdō
10. ruō

B. Write the third person singular active of each tense that you have so far learned for **clāmō** and **fluō**. This set of forms is called a *synopsis* in the third singular active.

C. Write the principal parts of the following verbs:

1. dō	5. cōgō	8. neglegō
2. incitō	6. comprehendō	9. coepī
3. servō	7. currō	10. volō
4. claudō		

D. Write a synopsis in the third singular active indicative of **dō** and **servō**.

EXERCISE VI

A. Write the principal parts of the following verbs:

1. habitō	5. noceō	8. relinquō
2. lacrimō	6. sustineō	9. aperiō
3. parō	7. regō	10. ferō
4. vīsitō		

B. Write a synopsis in the third singular active indicative of **noceō** and **sustineō**.

C. Write the principal parts of the following verbs.

1. iuvō	5. vulnerō	8. mittō
2. oppugnō	6. cōnstituō	9. vincō
3. postulō	7. dēfendō	10. aiō
4. superō		

D. Write a synopsis in the third plural active indicative of **iuvō** and **vulnerō**.

EXERCISE VII

A. Write the principal parts of the following verbs:

1. cōnfirmō	5. respondeō	8. tollō
2. errō	6. timeō	9. interficiō
3. nārrō	7. discēdō	10. nōlō
4. dēbeō		

B. Write a synopsis in the first singular active indicative and the three tenses that you know of the passive of **cōnfirmō** and **timeō**.

EXERCISES 97

C. Write the principal parts of the following verbs:

1. appropinquō
2. necō
3. occupō
4. vāstō
5. agō
6. pellō
7. premō
8. iaciō
9. coniciō
10. sciō

D. Write a synopsis in the second singular active indicative of **necō**.

EXERCISE VIII

A. Write the principal parts of the following verbs:

1. iubeō
2. nōscō
3. scrībō
4. vehō
5. possum
6. incipiō
7. inveniō
8. mūniō
9. perveniō
10. sentiō

B. Write a synopsis in the third singular active and passive indicative of **iubeō**.

C. Write the principal parts of the following verbs:

1. armō
2. probō
3. spērō
4. iaceō
5. lateō
6. caedō
7. frangō
8. sūmō
9. tegō
10. fugiō

D. Write a synopsis in the first plural active and passive indicative of **armō**.

EXERCISE IX

A. Write the principal parts of the following verbs:

1. cadō
2. cēdō
3. condūcō
4. īnstruō
5. intellegō
6. ostendō
7. accipiō
8. redeō
9. trānseō
10. īnferō

B. Write a synopsis in the third plural active and passive indicative of **condūcō**.

C. Write a synopsis in the third singular active and passive indicative of **ostendō**.

EXERCISE X

A. Write the principal parts of the following verbs.

1. fallō	5. legō	8. reperiō
2. cognōscō	6. sinō	9. edō
3. discō	7. rapiō	10. exeō
4. impōnō		

B. Write a synopsis in the third plural active and passive indicative of **reperiō.**

C. Write a synopsis in the second plural active and passive indicative of **rapiō.**

EXERCISE XI

A. Write the principal parts of the following verbs:

1. imperō	5. dormiō	8. ēgredior
2. līberō	6. cōnor	9. polliceor
3. audeō	7. patior	10. proficīscor
4. vīvō		

B. 1. Write a synopsis in the third singular indicative of **cōnor.**
   2. Write a synopsis in the third plural indicative of **patior.**

EXERCISE XII

A. Write the principal parts of the following verbs:

1. orior	5. morior	8. ēvādō
2. loquor	6. reddō	9. vertō
3. conloquor	7. licet	10. doceō
4. sequor		

B. Write the infinitives of **orior, sequor, reddō, doceō.**

EXERCISE XIII

Copy the following sentences and underline each phrase that would be an infinitive in Latin. Then write the sentences in Latin.

1. The boys were not permitted to play in the atrium.
2. The mother ordered the boys to stay in the peristyle.
3. The boys knew that the men would leave the atrium.
4. The boys knew this too: that they were able to run into the atrium.
5. The boys ran and laughed and played all day.

EXERCISE XIV

Copy the following sentences, underline the adjectives, and draw a line from each adjective to the noun with which it agrees. Then write the sentences in Latin.

1. A violent battle was being fought in the deep impluvium.
2. The boats were not large but they were similar.
3. It was an opportune time for a short battle.
4. All the men had gone and the atrium was empty.
5. The small boys thought that many brave sailors were fighting on the ships.

EXERCISE XV

A. Write all the participles of cōgō, mittō, doceō.

B. Write a synopsis in the third singular active and passive indicative of agō. Add all the infinitives and participles of agō.

C. Write the following sentences in Latin.

1. Quintus saw that a man was standing near his grandfather greeting him.
2. The man, named Marcus, was an old friend.
3. As he saw Marcus, Quintus greeted him.

EXERCISE XVI

Copy the following sentences, underline each word that would be put in the ablative in Latin, write above the word what kind of ablative it would be and what preposition, if any, would be used. Then write the sentences in Latin.

1. The grandfather, born of famous ancestors, lacked nothing.
2. Quintus was not wiser than Felix.

3. According to the custom of the Romans, the thing was decided by the father.
4. The statue made of marble had been brought from Greece by the grandfather.
5. The Mucii had gone from their home to the villa of the *hospes*.

EXERCISE XVII

Copy the following sentences, underline each word that would be put in the ablative in Latin, write above the word what kind of ablative it would be and what preposition, if any, would be used. Then write the sentences in Latin.

1. As the doorman shouted, Quintus ran into the atrium with Felix by way of the vestibule.
2. Amid great waves they had been carried by boat from Greece.
3. The Mucii used wine (which was) sold for much money.
4. Good water is much better than wine.

EXERCISE XVIII

Copy the following sentences, underline each word that would be put in the ablative or locative in Latin, write above the word what kind of ablative it would be and what preposition, if any, would be used. Then write the sentences in Latin.

1. The young men had not come with great speed from Athens to Rome because of the death of the grandfather.
2. In summer the Mucii did not remain at home at Rome.
3. A boy ought to be worthy of his ancestors and his clan.
4. Children of noble families were not always better in manners than children of the plebeians.

EXERCISE XIX

Copy the following sentences, underline each word that would be put in the genitive in Latin, and write above the word what sort of genitive each would be. Then write the sentences in Latin.

1. Quintus's father thought the city of Rome of great importance.
2. All of the Mucii were skilled in law.
3. Many of the Mucii were men of great faithfulness.

4. Quintus thought it the part of a noble young man to get possession of the territory of enemies of Rome.
5. The band of young men, their hearts full of hope, waited for the coming of their leader.

EXERCISE XX

Copy the following sentences and underline each word that would be a gerundive, gerund, or supine in Latin. Then write the sentences in Latin.

1. Quintus wanted an opportunity to fight and to show his courage.
2. He had to go to Gaul.
3. There he had to overcome the Gauls.
4. The Gauls sent messengers to the Germans to ask for aid.
5. This was easy to do.

EXERCISE XXI

Copy the following sentences, underline each word that would be put in the dative in Latin, and write above the word what sort of dative each would be. Then write the sentences in Latin.

1. Many young Romans were interested in Greek literature.
2. Felix was at the head of the slaves in the shop.
3. Quintus had said to Felix that he must not delay about deciding.
4. The shop was a joy to Felix in youth and old age.
5. Felix had an opportunity for showing his courage.

EXERCISE XXII

Underline each pronoun in the following sentences and write above it what kind it is. Then write the sentences in Latin.

1. That man taught me this but my father said that he would tell me a thing that would help me.
2. I desire to help myself; therefore I heard him (the same) gladly.
3. Now I myself can decide the things that I wish to do.

EXERCISE XXIII

Write a synopsis in the third person singular active and passive, indicative and subjunctive, of **gerō**. Add infinitives and participles.

LIST OF PREFIXES FOR VERBS AND THEIR
EFFECT ON THE MEANING OF VERBS

ā, ab, abs away: ā-mittō let slip away, lose; ab-eō go away
ad to, near: ad-dūcō lead to
ante before: ante-pōnō place before
circum about, around: circum-veniō come around
com (cum) together, altogether: con-vocō call together; com-pleō fill
  altogether
dē down from, away: dē-dūcō lead down, lead away
ē, ex out: ē-dūcō lead out; ex-eō go out
in in, into: in-eō go into
inter between: inter-cēdō go between
ob, obs before, against: oc-currō run against, meet
per through, thoroughly: per-moveō move thoroughly; per-veniō come
  through
post after: post-pōnō place after
prae before: prae-mittō send before
praeter beside: praeter-eō go beside, pass by
prō, pro, prōd forth: prō-dūcō lead forth; prōd-eō go forth
sub, subs under: sus-tineō hold underneath, uphold
trā, trāns across: trāns-eō go across; trā-iciō throw across

The following prefixes do not appear as separate words:

dis– apart: dis-cēdō go apart; dis-pōnō place apart, *i.e.*, at intervals
intrō– within: intrō-dūcō lead within
re–, red– back: re-cipiō take back; red-dō give back
sē–, sēd– apart: sē-cēdō go apart

SUGGESTED BOOKS FOR READING IN ENGLISH

PLUTARCH, *Caesar*. Everyman Edition, New York, 1929.

FOWLER, *Julius Caesar*. New York, 1899.

BUCHAN, *Julius Caesar*. London, 1932.

HOLMES, *Caesar's Conquest of Gaul*. Oxford, 1911.

OMAN, *Seven Roman Statesmen*. London, 1917.

MACKAIL, *Latin Literature*. New York, 1905, pp. 78–81.

FRANK, *A History of Rome*. New York, 1923, pp. 272–313.

MOMMSEN, *The History of Rome*. New York, 1914, Vol. V., Chap. XI.

FERRERO, *Greatness and Decline of Rome*. New York, 1914, Vol. I, last pages.

CHAPTER VOCABULARIES

Key

Class I. Words appearing 1000 times or more according to Lodge, *Vocabulary of High School Latin*, Columbia University: Teachers College, 1912.

Class II.   Words occurring 500–999 times.
Class III. Words occurring 100–499 times.
Class IV. Words occurring 50–99 times.
Class V.   Words occurring 25–49 times.
Class VI. Words occurring 5–24 times.
Class VII. Words that do not appear on Lodge's list of 2000 words.

CHAPTER I

IV cūra
     dum

V   celeritās
     prōvideō

VI contrōversia
     forum
     hūmilis
     interior
     orior

     perturbō
     rīdeō
     temere
     terreō

VII concursō

CHAPTER II

V   amplus
     mūnus
     spatium

VI ātrium
     fōns

     īnsignis
     inveniō
     nusquam
     scīlicet
     similis

VII iānitor
     nūtrīx
     peristȳlium
     statua

CHAPTER III

IV ōs

V   cōnor
     ruō

     uterque
     vel

VI equester

     lacus
     lūdō
     sponte

CHAPTER IV

IV	sequor	VI	abeō		frōns
V	aiō		comprehendō		lēnis
	patior		cōnātus		ūmidus
			dēsistō		

CHAPTER V

IV	nāscor		lacrima		geminus
	proficīscor		pār		magnitūdō
	vērus		prīnceps		noceō
V	cōgō	VI	aetās	VII	īnfāns

CHAPTER VI

V	dēnique		pugna		senex
	interim		vehemēns		sustineō
	plēnus	VI	anteā		
	postquam		conloquor		

CHAPTER VII

IV	contrā		fors	VI	mercātor
	mors		laus		uxor
V	aciēs		tollō	VII	ōsculum
	cōnfirmō		verbum		
			vulnus		

CHAPTER VIII

IV	amor	VI	bīduum		condūcō
V	dolor		captīvus		

CHAPTER IX

V	īnferō	sex	VII	avus
VI	ēgredior	suprā		mātrimōnium
	polliceor			nātus

CHAPTER X

IV	studium	familiāris	VII	ancilla
V	hīberna	impōnō		patruus
VI	afficiō	mulier		
		plērumque		

CHAPTER XI

V	coniūnx	rēgīna	VI	līberō
	quondam	vīvō		

CHAPTER XII

V	reddō	opportūnus	VII	bipertītō
VI	conclāmō	prōiciō		
	īnsidiae			

CHAPTER XIII

V	licet	VI	cliēns	VII	impluvium
	loquor		cotīdiē		marmor
	paulum		ēvādō		pavīmentum
			pariēs		
			vacuus		

CHAPTER XIV

V	advertō	VI	nāvigō	VII	plaudō
	puppis		prōra		
	rēmus				
	revertor				
	vēlum				

CHAPTER XV

IV	mēns		līmen		sōl
V	doceō		mōs		tellūs
	fallō		procul	VII	vēstibulum

CHAPTER XVI

V	dubitō		vehō		lībertus
	surgō		vēndō		oleum
VI	lībertās		vīnum		taberna
	negōtium	VII	incertus		toga
	octō		lectīca		

CHAPTER XVII

IV	multitūdō		ferē	VI	decem
V	āra		rūrsum		quārtus
	dēserō		taceō		sternō
	ergō		templum	VII	vīlla

CHAPTER XVIII

IV	cursus		impediō	VI	colligō
	unda		lūmen		monumentum
V	accēdō		oportet		vīcus
	campus		passus	VII	pauper
	haud		tumulus		

CHAPTER XIX

IV	ventus	VI	ascendō		perdūcō
V	brevis		hospes		prīdiē
	tempestās		paulātim		vallis
	timor				

CHAPTER XX

IV	ūllus	VI	colō	VII	cubiculum
	ūtor		frūctus		īnstrūmentum
V	arbitror		studeō		
	cōnservō				
	unde				

CHAPTER XXI

V	addūcō		ōrō	VI	lūdus
	adventus		trīstis		occurrō
	facultās		vultus		vītō
	mereō				

CHAPTER XXII

V	aurum		dīmittō	VI	duodecim
	complūrēs		lēx		tabula
	condō		opus	VII	merīdiēs
	cōnscrībō		simul		
	dēligō		statuō		

CHAPTER XXIII

IV	ōra		vāstus	VI	incrēdibilis
V	flūctus		volvō		maritimus
	sēdēs				

CHAPTER XXIV

V	credō	VI	circuitus		dēsiliō
	perficiō				incolumis
	vātēs				

CHAPTER XXV

IV	tālis	VI	iungō	VII	bulla
V	dēferō		omnīnō		praetexō
	iūdicō		praetor		purpura
	singulī		quīndecim		

CHAPTER XXVI

III nē
IV prōvincia
V cōnsulō
  dignitās

senātus
vix
VI dignus
  egeō

iuvenis
ops
prae

CHAPTER XXVII

IV cōnficiō
  dīvus
  ingēns
  pectus
  quidem

V cūnctus
  (fortasse)
  iūs
  littera
  nūmen

ōrātiō
praesum
sīdus
VI cōgitō
  gaudium
  ineō

CHAPTER XXVIII

IV auctōritās
  cernō (certus)
  spēs
V potestās

VI imāgō
  recēns
  vestis

VII iō

CHAPTER XXIX

IV contineō
  for
  quaerō
V arx
  cōnspiciō
  glōria

moror
ob
orbis
pelagus
quīcumque

VI caeruleus
  iuventūs
  nimis
  porticus
  tamquam

CHAPTER XXX

IV ōrdō
V sententia

VI addō
  expōnō

prōpōnō
recūsō

110   ĀCTA MŪCIŌRUM

CHAPTER XXXI

IV	pariō	VI	cīvīlis	VII	antepōnō
V	genitor		familia		augur
	iactō		fīdus		ēloquentia
	sacer		nepōs		
	versō		prīdem		
	(versor)		scientia		

CHAPTER XXXII

II	neu	V	sanguis		exerceō
IV	exīstimō	VI	ars		potis
	fidēs		dīves		

CHAPTER XXXIII

V	ēiciō	VI	adhūc		cupiditās
	ēripiō		audax		dēiciō
	incendō		cadō		dētrīmentum
	item		coniūrātiō		efficiō
	prīvō		cōnsentiō		plēbs
	prohibeō				

CHAPTER XXXIV

V	cohors		impetrō		tribūnus
	cōnsuēscō		mīlitāris		utrum
VI	exemplum		perītus	VII	ālea
	experior				

CHAPTER XXXV

V	committō		dēlectō	VII	emō
VI	adulēscentia		forīs		oblectō
	alō		praebeō		perfugium
	canō		senectūs		scaena
	carmen				sōlācium

CHAPTER XXXVI

IV	scelus	VI	induō	VII	exercitō
V	inde		lavō		

CHAPTER XXXVII

V	(sīve)	VI	fungor

CHAPTER XXXVIII

V	exterus	nātiō	VI	quaestus
		prius		

CHAPTER XXXIX

V	accidō	quisque	longinquus
	calamitās	ratiō	persuādeō
	cāsus	VI cohortor	subsidium
	commūnis	etsī	turpis
	impedīmentum		

CHAPTER XL

V	voluntās	VI	cōnsūmō	frūmentārius
			conventus	perspiciō

CHAPTER XLI

II	(utī)	distribuō	quīnquāgintā
III	(aliter)	ēmittō	redūcō
V	conlocō	hospitium	VII lignātor
	ēdūcō	iūrō	prōveniō
	impellō	minuō	siccitās
VI	dēdūcō	opprimō	
	dēspērō	oppugnātiō	
		prōdeō	

112 ĀCTA MŪCIŌRUM

CHAPTER XLII

VI adiungō
auctor
dissentiō
exitus
exsistō
famēs
levis
obsidiō

occāsiō
permoveō
poscō
repentīnus
sapiō
testimōnium
ultrō

VII disputātiō
ignōbilis
iniussus
quantusvīs
subsum

CHAPTER XLIII

V cōnsistō
VI augeō
cōnsūmō
cōnsurgō
dēmittō
dēsum
dissēnsiō

fremitus
longitūdō
nocturnus
nūntiō
obeō
occulō

profectiō
reprehendō
VII ascēnsus
incommodus
languor
trepidō

CHAPTER XLIV

V cēdō
latus
VI animadvertō
cōnfertus
excēdō
negō
nūdō

octāvus
parcō
praecipiō
quotiēns
refugiō
reservō
resistō

VII indignus
interpres
observō
persevērō
prōcurrō

CHAPTER XLV

IV equitātus
V īnstituō
lābor
perferō
VI abiciō
aquila
condiciō

dēmōnstrō
hiemō
hortor
perpetuus
profiteor
sermō
subsequor

ulcīscor
volō
VII adiūtor
aquilifer
peditātus
ululātus

CHAPTER XLVI

V	mūnītiō		intermittō		intercipiō
	victor		obsideō		lignātiō
VI	adipīscor		pinna		lorīca
	aditus		turris		mūrālis
	compleō		vīgintī		praeūrō
	cōnfīdō	VII	attexō		sudis
	fossa		crātēs		

CHAPTER XLVII

IV	flamma		exhauriō	VII	diffīdō
V	cōnsuētūdō		ferveō		ferrāmentum
	metus		iūstitia		praesentia
	quisquam		nancīscor		sagulum
	ūsus		ostentō		strāmentum
			respiciō		
VI	cingō		testūdō		
	coorior		torreō		
	differō				

CHAPTER XLVIII

IV	contendō		extrā		recēdō
V	īnferus		īnstō		removeō
	vereor		lapis		succurrō
			mediocris		trāiciō
VI	adigō		nūtus	VII	anteferō
	concidō		opīniō		trānsfīgō
	contingō		prōgredior		
	ēventus				

CHAPTER XLIX

IV	obses	commodum	intus
V	efferō	contentiō	praeficiō
VI	ambō	crēber	suspīciō
	asper	cruciātus	VII dēfēnsor
	attribuō	dēprehendō	illigō
	certāmen	honestus	paucitās

CHAPTER L

V	caedēs	praesertim	dēmō
	cōnsidō	prīstinus	dubitātiō
VI	admoneō	remittō	perlegō
	caveō	repetō	recidō
	convertō	retineō	recitō
	fūmus	sexāgintā	trāgula
	incendium	VII adhaerēscō	
	interitus	āmentum	

CHAPTER LI

V	administrō	exiguus	commūniō
	afferō	explōrō	contemptiō
	quoniam	prōnūntiō	ēliciō
VI	aequus	rīvus	obstruō
	cōnspicor	simulātiō	parvulus
	contrahō	VII circummittō	praecō
	dīmicō	citrā	speculātor

CHAPTER LII

V (mereō) meritum
VI admīror
beneficium
contemnō
dēcernō
ēgregius
ēruptiō
exuō

intercēdō
mōtus
nōnus
palūs
prōdūcō
prōfugiō
prōsequor

scindō
speciēs
ternī (trīnī)
VII cōntiō
diūtinus
immortālis
significātiō

CHAPTER LIII

III (summa)
IV aequor
iste
V cōnferō
crūdēlis
ferrum
praesidium

referō
regiō
VI commeātus
onerārius
parum
reficiō
trīgintā
vīnea

VII armāmenta
clāvus
decemvir
merx
quōquōversus
stlīs

CHAPTER LIV

IV classis
V īnstruō
utrimque
VI adorior
colōnus
cōnflīgō
dēposcō
dīgredior
expediō

ferreus
fidūcia
gubernātor
opera
pāstor
quoad
septendecim
statiō
ūndecim

VII antesignānus
dētergeō
ēligō
ēlūdō
harpagō
montānus
pollicitātiō
trānscurrō

CHAPTER LV

III	(nequedum)		integer		cōnfugiō
V	quīn		intereō		dēprimō
	vetus		necessārius		rēmex
			novem		tarditās
VI	bīnī		obiciō		trānscendō
	compellō		repente		vocābulum
	dīversus				
	gravitās	VII	artificium		
	iniciō		comminus		

CHAPTER LVI

V	tendō		memor		ēnītor
VI	adeō		nōminātim		exposcō
	custōdia		prōspiciō		imprūdēns
	dēcertō		remaneō		mōbilitās
	domesticus		simulācrum		mōmentum
	ēvocō	VII	antecēdō		obsecrō
	fātum		dīdūcō		religō
	imprōvīsus		ēminus		

CHAPTER LVII

IV	(nihil)		perdō	VII	apparō
V	āmittō		postrīdiē		conlabefīō
	mandō		praemittō		dēfēnsiō
			propinquus		pecūniārius
VI	adeō (adv.)		rōstrum		praefringō
	concursus		secus		prīncipātus
	effundō		singulāris		trirēmis
	locuplēs		vēstīgium		
	lūctus				

CHAPTER LVIII

VI amīcitia
   concēdō
   cōnscientia
   dēspiciō
   facinus
   frētus
   iūdicium
   palam
   (praefectus)
   praetereō

   pudor
   queror
   sēcernō
     (sēcrētus)
   stīpendium
   temptō
   ūniversus
VII animadversiō
   arrogantia
   castīgō

   coemō
   fraudō
   mutuor
   obiectātiō
   offēnsiō
   particeps
   perfugiō
   proinde
   stultus
   sufferō

CHAPTER LIX

V (tueor)
VI altitūdō
   angustiae
   aptus
   cōnfestim
   coniungō
   dēcēdō
   dīripiō
   domicilium
   exstruō

   fīdō
   invītus
   mōlēs
   nāvālis (nāvālia)
   praedō
   praeter
   prehendō
VII cōnsternō
   dīmicātiō
   imprūdentia

   inrumpō
   introitus
   mīrificus
   nōngentī
   quadrirēmis
   quīnquerēmis
   supportō

CHAPTER LX

V immānis
   optō
   suscipiō
   tot
VI aeternus
   aliēnus
   cōnsanguineus
   difficultās

   dubius
   firmus
   frūstrā
   mātūrō
   nītor
   onus
   pācō

   paenitet
   pondus
   priusquam
   proptereā
   serēnus
   vēlox
VII patrōnus

LATIN–ENGLISH VOCABULARY

LATIN–ENGLISH VOCABULARY

For adjectives and some pronouns the forms of the three genders are indicated, for nouns and personal pronouns the forms of the nominative and genitive cases, and for verbs the principal parts are given. For other words the part of speech is named.

A

ā *prep. (variant of* **ab**) away from, by

ab *prep.* away from, by

abeō, –īre, –iī *or* **–īvī, –itum** go away

abiciō, –ere, –iēcī, –iectum throw away

abs *prep. (variant of* **ab**) away from, by

absum, abesse, āfuī, āfutūrus be away

accēdō, –ere, –cessī, –cessum go to, go near, approach

accidō, –ere, accidī happen

accipiō, –ere, –cēpī, –ceptum receive

ācer, ācris, ācre keen, sharp

aciēs, aciēī *m.* line of battle

ācriter *adv.* keenly, sharply

ad *prep.* to, toward, near

addō, –ere, addidī, additum give in addition to, add

addūcō, –ere, –dūxī, –ductum lead to

adeō, –īre, –iī, –itum go to

adeō *adv.* to that extent, so

adhaerēscō, –ere, –haesī, –haesum stick to

adhūc *adv.* up to this point, up to this time

adigō, –ere, –ēgī, –āctum drive toward

adipīscor, adipīscī, adeptus sum arrive at, obtain

aditus, –ūs *m.* approach, access

adiungō, –ere, adiūnxī, adiūnctum join to

adiūtor, adiūtōris *m.* helper, assistant

administrō, –āre, –āvī, –ātum execute, manage

admīror, –ārī, –ātus sum wonder at, admire

admoneō, –ēre, –monuī, –monitum suggest, warn

adorior, –orīrī, –ortus sum attack

adsum, –esse, –fuī, –futūrus be present

adulēscentia, –ae *f.* youth

adventus, –ūs *m.* coming, arrival

adversus, –a, –um opposite

advertō, –ere, –vertī, –versum turn toward

aedificium, –ī *n.* building

aedificō, –āre, –āvī, –ātum build

aeger, aegra, aegrum sick

aegrē *adv.* in sickly fashion, weakly, with difficulty

aequor, aequoris *n.* level surface of the sea, calm sea

aequus, –a, –um level, even, fair, calm

aestās, aestātis *f.* summer

aetās, aetātis *f.* age

aeternus, –a, –um eternal

afferō, –ferre, attulī, allātum bring to

afficiō, –ere, –fēcī, –fectum do to, affect

ager, agrī *m.* field

agmen, agminis *n.* line of march

agō, agere, ēgī, āctum drive, do, say, spend (time)

agricola, –ae *m.* farmer

aiō *defective verb* say, say yes, affirm

119

albus, -a, -um white

ālea, -ae *f.* a game of dice

aliēnus, -a, -um belonging to another

aliquis, aliquid some one, some thing

aliter *adv.* otherwise

alius, alia, aliud another, other aliī ... aliī some ... others

alō, -ere, aluī, altum (alitum) nourish

alter, altera, alterum the other (*of two*) alter ... alter the one ... the other

altitūdō, altitūdinis *f.* height

altus, -a, -um high

ambō, ambae, ambō both

ambulō, -āre, -āvī, -ātum walk

āmentum, -ī *n.* strap

amīcitia, -ae *f.* friendship

amīcus, -a, -um friendly

amīcus, -ī *m.* friend

āmittō, -ere, -mīsī, -missum let go away, lose

amō, -āre, -āvī, -ātum love

amor, amōris *m.* love

amplus, -a, -um large, spacious

an *conj.* or?

ancilla, -ae *f.* maidservant

angustiae, -ārum *f.* narrowness, defile

angustus, -a, -um narrow

animadversiō, animadversiōnis *f.* attention, punishment

animadvertō, -ere, -vertī, -versum turn the mind to, notice, punish

animal, animālis *n.* animal

animus, -ī *m.* mind, spirit

annus, -ī *m.* year

ānser, ānseris *m.* goose

ante *prep.* before, in front of

anteā *adv.* before

antecēdō, -ere, -cessī, -cessum go before, precede, take the lead

anteferō, -ferre, -tulī, -lātum bear before, prefer

antepōnō, -ere, -posuī, -positum set before, give preference to

antesignānus, -ī *m.* one of a group of

soldiers who fought in front of and in defense of the standards

antīquus, -a, -um ancient

aperiō, -īre, aperuī, apertum open

apparō, -āre, -āvī, -ātum prepare (toward)

appellō, -āre, -āvī, -ātum call

appropinquō, -āre, -āvī, -ātum approach

aptus, -a, -um fitted, fit

apud *prep.* among, at the house of

aqua, -ae *f.* water

aquila, -ae *f.* eagle, the standard of the legion, *surmounted by an eagle*

aquilifer, -ī *m.* standard bearer

āra, -ae *f.* altar

arbitror, -ārī, -ātus sum consider, think

arbor, arboris *f.* tree

arcus, -ūs *m.* bow

arma, armōrum *n.* arms

armāmenta, -ōrum *n.* implements, *utensils of any kind*

armātus, -a, -um armed

armō, -āre, -āvī, -ātum arm

arrogantia, -ae *f.* pride, conceit

ars, artis *f.* skill, art

artificium, -ī *n.* skill

arx, arcis *f.* citadel, fortress, height, summit

ascendō, -ere, ascendī, ascēnsum climb up

ascēnsus, -ūs *m.* ascending, ascent

asper, aspera, asperum hopeless, desperate, rough, harsh

at *conj.* but

atque *conj.* and

ātrium, -ī *n.* atrium, *the most important room of the Roman house*

attexō, -ere, -texuī, -textum weave to, weave on

attribuō, -ere, attribuī, attribūtum give, assign, attribute

auctor, auctōris *m.* author, originator

auctōritās, auctōritātis *f.* authority, power

audax, audācis bold

audeō, -ēre, ausus sum dare

audiō, -īre, -īvī, -ītum hear

augeō, -ēre, auxī, auctum increase

augur, auguris *m.* augur, soothsayer, *member of a college of priests at Rome, who interpreted omens*

aurum, -ī *n.* gold

aut *conj.* or aut ... aut either ... or

autem *conj.* moreover

auxilium, -ī *n.* aid, help

avis, avis *f.* bird

avunculus, -ī *m.* uncle (*maternal*)

avus, -ī *m.* grandfather

B

barbarus, -a, -um barbarous, barbarian

barbarus, -ī *m.* a barbarian

bellum, -ī *n.* war

bene *adv.* well

beneficium, -ī *n.* kindness, favor

benignus, -a, -um kind

bīduum, -ī *n.* a space of two days

bīnī, -ae, -a two each, two

bipertītō *adv.* in two parts

bonus, -a, -um good

brevis, -e short, brief

bulla, -ae *f.* a bulla, *a disc of gold or leather which Roman children wore on a chain about the neck*

C

cadō, -ere, cecidī, cāsūrus fall

caecus, -a, -um blind

caedēs, -is *f.* slaughter

caedō, -ere, cecīdī, caesum cut, kill

caelum, -ī *n.* sky

caeruleus, -a, -um of the color of the sea

calamitās, calamitātis *f.* loss, disaster

campus, -ī *m.* plain, field

canō, -ere, cecinī, cantum sing

capiō, -ere, cēpī, captum take

captīvus, -ī *m.* captive

caput, capitis *n.* head

carmen, carminis *n.* song, verse

carrus, -ī *m.* wagon, cart

cārus, -a, -um dear

casa, -ae *f.* cottage

castellum, -ī *n.* fort

castīgō, -āre, -āvī, -ātum chide, censure, punish

castra, -ōrum *n.* camp

cāsus, -ūs *m.* a falling, fall, destruction, accident, event

causa, -ae *f.* cause, reason causā for the sake of

cautē *adv.* (*from* caveō) guardedly, cautiously

caveō, -ēre, cāvī, cautum be on one's guard

cēdō, -ere, cessī, cessūrus go, yield

celer, celeris, celere swift

celeritās, celeritātis *f.* swiftness, speed

celeriter *adv.* swiftly, quickly

cēlō, -āre, -āvī, -ātum conceal

cēna, -ae *f.* dinner

centum a hundred

centuriō, centuriōnis *m.* centurion

cernō, -ere, crēvī, crētum *or* certum separate, decide

certāmen, certāminis *n.* strife, contest

certus, -a, -um (*from* cernō) certain, sure

cēterī, -ae, -a the rest of

cibus, -ī *m.* food

cingō, -ere, cīnxī, cīnctum gird, surround

circiter *adv.* about

circuitus, -ūs *m.* a going around, circuit

circum *prep.* around

circummittō, -ere, -mīsī, -missum send around

circumspectō, -āre, -āvī, -ātum look around

circumveniō, -īre, -vēnī, -ventum come around, surround

citrā prep. on this side

cīvīlis, -e belonging to citizens, civil

cīvis, cīvis m. citizen, fellow citizen

cīvitās, cīvitātis f. state

clāmō, -āre, -āvī, -ātum shout

clāmor, clāmōris m. a shout

clārus, -a, -um clear, famous

classis, classis f. fleet

claudō, -ere, claudī, clausum close

clāvus, -ī m. nail

cliēns, clientis m. client

coemō, -ere, -ēmī, -ēmptum buy up

coepī, coepisse, coeptum began

cōgitō, -āre, -āvī, -ātum reflect, consider

cognōscō, -ere, cognōvī, cognitum become acquainted with, learn

cōgō, -ere, coēgī, coāctum drive together, collect, compel

cohors, cohortis f. a cohort, one tenth of a legion

cohortor, -ārī, cohortātus sum encourage, exhort

colligō, -ere, collēgī, collēctum gather together

collis, collis m. hill

colō, -ere, coluī, cultum cultivate, dwell, cherish, worship

colōnus, -ī m. peasant farmer

comes, comitis m. comrade, companion

commeātus, -ūs m. going back and forth, thoroughfare, provisions

comminus adv. hand to hand

committō, -ere, -mīsī, -missum join, commence, do, entrust

commodō adv. opportunely, advantageously

commūniō, -īre, -īvī, -ītum fortify strongly

commūnis, -e common

compellō, -ere, -pulī, -pulsum drive together, force

compleō, -ēre, -plēvī, -plētum fill completely, finish

complūrēs, complūra several, very many

comprehendō, -ere, -prehendī, -prehēnsum seize

cōnātus, -ūs m. attempt, undertaking

concēdō, -ere, -cessī, -cessum withdraw from, yield, grant

concidō, -ere, -cidī fall down

conclāmō, -āre, -āvī, -ātum shout together

concursō, -āre, -āvī, -ātum rush together, rush to and fro

concursus, -ūs m. a running together, assembly, encounter

condiciō, condiciōnis f. condition

condō, -ere, -didī, -ditum establish

condūcō, -ere, -dūxī, -ductum lead together, hire

cōnferō, -ferre, -tulī, -lātum bring together, bestow, compare

cōnfertus, -a, -um crowded together

cōnfestim adv. immediately

cōnficiō, -ere, -fēcī, -fectum accomplish, finish

cōnfīdō, -ere, -fīsus sum trust confidently

cōnfirmō, -āre, -āvī, -ātum strengthen, make firm, confirm

cōnflīgō, -ere, -flīxī -flīctum dash together, contend

cōnfugiō, -ere, -fūgī, -fugitūrus flee together, take refuge

coniciō, -ere, -iēcī, -iectum hurl

coniungō, -ere, -iūnxī, -iūnctum join together

coniūnx, coniugis m. or f. husband or wife

coniūrātiō, coniūrātiōnis f. a swearing together, conspiracy

conlabefīō, -fierī, -factus sum be made to totter, be brought to ruin conlocō, –āre, –āvī, –ātum place together, station

conloquium, –ī n. conversation

conloquor, –loquī, –locūtus sum talk together, converse

cōnor, cōnārī, cōnātus sum try, attempt

cōnsanguineus, –ī m. brother, kinsman

cōnscientia, –ae f. consciousness, conscience

cōnscrībō, –ere, –scrīpsī, –scrīptum write together (in a list), enroll

cōnsentiō, –īre, –sēnsī, –sēnsum agree

cōnservō, –āre, –āvī, –ātum save

cōnsīdō, –ere, –sēdī, –sessum sit down, encamp

cōnsilium, –ī n. plan, advice, council

cōnsistō, –ere, –stitī, –stitum stand still, take one's place

cōnspectus, –ūs m. view, sight

cōnspiciō, –ere, –spexī, –spectum catch sight of, behold

cōnspicor, –ārī, –ātus sum get sight of, see

cōnsternō, –ere, –strāvī, –strātum cover

cōnstituō, –ere, –stituī, –stitūtum establish, decide

cōnsuēscō, –ere, –suēvī, –suētum become accustomed

cōnsuētūdō, cōnsuētūdinis f. custom

cōnsul, cōnsulis m. consul

cōnsulō, –ere, –suluī, –sultum consult iūris cōnsultus skilled in law

cōnsultō adv. deliberately, on purpose

cōnsūmō, –ere, –sūmpsī, –sūmptum take completely, consume

cōnsurgō, –ere, –surrēxī, –surrēctum rise

contemnō, –ere, –tempsī, –temptum despise, scorn

contemptiō, contemptiōnis f. contempt, disdain

contendō, –ere, –tendī, –tentum stretch vigorously, hasten, fight

contentiō, contentiōnis f. struggle

contineō, –ēre, –tinuī, –tentum hold together, hold altogether

contingō, –ere, –tigī, –tāctum touch, happen fortunately

cōntiō, cōntiōnis f. meeting, assembly

contrā adv. or prep. against

contrahō, –ere, –trāxī, –tractum draw together

contrōversia, –ae f. dispute, quarrel

conveniō, –īre, –vēnī, –ventum come together, meet

conventus, –ūs m. meeting, assembly, court of justice

convertō, –ere, –vertī, –versum turn altogether, change

convocō, –āre –āvī, –ātum call together

coorior, coorīrī, coortus sum rise up, arise

cōpia, –ae f. supply plu. troops

corōna, –ae f. wreath

corpus, corporis n. body

cotīdiē adv. daily

crās adv. tomorrow

crātis, crātis f. wickerwork

crēber, crēbra, crēbrum frequent, numerous

crēdō, –ere, crēdidī, crēditum believe

cruciātus, –ūs m. torture

crūdēlis, –e cruel

cubiculum, –ī n. bedroom

cum conj. when, since, although

cum prep. with

cūnctus, –a, –um all together, entire

cupiditās, cupiditātis f. longing, desire

cupiō, –ere, cupīvī, cupītum desire

cūr adv. why?

cūra, –ae f. care

cūrō, –āre, –āvī, –ātum care for

currō, –ere, cucurrī, cursum run
cursus, –ūs *m.* course, journey
custōdia, –ae *f.* watch, watchman, watchhouse

D

dē *prep.* down from, concerning
dea, –ae *f.* goddess
dēbeō, –ēre, dēbuī, dēbitum owe, ought
dēcēdō, –ere, –cessī, –cessum go away
decem ten
decemvir, –ī *m.* a decemvir, *member of a board of ten men*
dēcernō, –ere, –crēvī, –crētum decide, vote
dēcertō, –āre, –āvī, –ātum fight (to a finish)
dēdūcō, –ere, –dūxī, –ductum lead down, lead apart, separate
dēfendō, –ere, –fendī, –fēnsum defend
dēfēnsiō, dēfēnsiōnis *f.* defending, defense
dēfēnsor, dēfēnsōris *m.* defender
dēferō, –ferre, –tulī, –lātum bring down, report
dēfessus, –a, –um tired
dēiciō, –ere, –iēcī, –iectum cast down
deinde *adv.* then, next
dēlectō, –āre, –āvī, –ātum delight, charm
dēleō, –ēre, –ēvī, –ētum destroy
dēligō, –ere, –lēgī, –lēctum choose
dēmittō, –ere, –mīsī, –missum let go down, send down
dēmō, –ere, dēmpsī, dēmptum take down, remove
dēmōnstrō, –āre, –āvī, –ātum show, indicate
dēnique *adv.* finally, at last
dēposcō, –ere, –poposcī demand
dēprehendō, –ere, –prehendī, –prehēnsum take away, seize

dēprimō, –ere, –pressī, –pressum press down, sink
dēserō, –ere, –seruī, –sertum abandon, desert
dēsīderō, –āre, –āvī, –ātum long for, desire greatly
dēsiliō, –īre, –siluī, –sultum jump down
dēsistō, –ere, –stitī, –stitum cease, desist
dēspērō, –āre, –āvī, –ātum despair (of)
dēspiciō, –ere, –spexī, –spectum look down on, despise
dēsum, deesse, dēfuī, dēfutūrus be wanting, fail
dētergeō, –ēre, –tersī, –tersum wipe away, break to pieces
dētrīmentum, –ī *n.* loss
deus, –ī *m.* god
dexter, dextra, dextrum right
dīcō, –ere, dīxī, dictum say
diēs, diēī *m.* day
differō, –ferre, distulī, dīlātum carry apart, spread abroad
difficilis, –e difficult
difficultās, difficultātis *f.* difficulty
diffīdō, –ere, –fīsus sum distrust
dignitās, dignitātis *f.* worth, greatness
dignus, –a, –um worthy
dīgredior, dīgredī, dīgressus sum go apart, separate
dīligenter *adv.* diligently, carefully
dīmicātiō, dīmicātiōnis *f.* fight, combat
dīmicō, –āre, –āvī, –ātum fight
dīmittō, –ere, –mīsī, –missum let go away
dīripiō, –ere, –ripuī, –reptum plunder, despoil
discēdō, –ere, –cessī, –cessum go away, depart
discō, –ere, didicī learn
dispōnō, –ere, –posuī, –positum place at intervals

disputātiō, disputātiōnis *f.* discussion

dissēnsiō, dissēnsiōnis *f.* disagreement, discord

dissentiō, -īre, -sēnsī, -sēnsum disagree

distribuō, -ere, -tribuī, -tribūtum divide, distribute

diū *adv.* for a long time

diūtinus, -a, -um long-continued

dīversus, -a, -um opposite, different, hostile

dīves, dīvitis rich

dīvidō, -ere, dīvīsī, dīvīsum divide

dīvus, -a, -um divine

dīvus, -ī *m.* god

dō, dare, dedī, datum give

doceō, -ēre, docuī, doctum teach

dolor, dolōris *m.* grief

domesticus, -a, -um belonging to home, domestic, internal

domicilium, -ī *n.* dwelling

dominus, -ī *m.* master

domus, -ūs *f.* home, house

dōnum, -ī *n.* gift

dormiō, -īre, -īvī, -ītum sleep

dubitātiō, dubitātiōnis *f.* doubt

dubitō, -āre, -āvī, -ātum doubt, hesitate

dubius, -a, -um doubtful

dūcō, -ere, dūxī, ductum lead

dum *conj.* while

duo, duae, duo two

duodecim twelve

dūrus, -a, -um hard

dux, ducis *m.* leader

E

ē *prep.* (*variant of* ex) out from

ecce *interj.* behold!

edō, ēsse, ēdī, ēsum eat

ēdūcō, -ere, -dūxī, -ductum lead out

efferō, -ferre, extulī, ēlātum carry away, proclaim *passive* be puffed up

efficiō, -ere, -fēcī, -fectum bring to pass, accomplish, make

effundō, -ere, -fūdī, -fūsum pour forth

egeō, -ēre, eguī want, lack, need

ego, meī I

ēgredior, ēgredī, ēgressus sum step out, disembark

ēgregius, -a, -um distinguished, excellent, eminent

ēiciō, -ere, ēiēcī, ēiectum cast out

ēliciō, -ere, ēlicuī, ēlicitum lure forth

ēligō, -ere, -lēgī, -lēctum pick out

ēloquentia, -ae *f.* eloquence

ēlūdō, -ere, -lūsī, -lūsum elude, deceive, make sport of

ēminus *adv.* from a distance

ēmittō, -ere, -mīsī, -missum let go out, send out

emō, -ere, ēmī, ēmptum buy

enim *conj.* for

ēnītor, ēnītī, ēnīsus *or* ēnīxus sum make an effort, strive

eō, īre, iī *or* īvī, itum go

epistula, -ae *f.* letter

eques, equitis *m.* horseman, knight

equester, equestris, equestre of a horseman, of cavalry, equestrian

equitātus, -ūs *m.* cavalry

equus, -ī *m.* horse

ergō *conj.* therefore

ēripiō, -ere, ēripuī, ēreptum snatch away

errō, -āre, -āvī, -ātum wander

ēruptiō, ēruptiōnis *f.* a breaking out, rush, sally

et *conj.* and et ... et both ... and

etiam *adv.* also, even

etsī *conj.* although, even if

ēvādō, -ere, ēvāsī, ēvāsum go out, escape

ēventus, -ūs *m.* outcome

ēvocō, -āre, -āvī, -ātum call forth

ex *prep.* out from

excēdō, –ere, –cessī, –cessūrus go out, leave

excipiō, –ere, –cēpī, –ceptum take out, take up, relieve, receive

excitō, –āre, –āvī, –ātum rouse

exemplum, –ī *n.* sample, copy, example

exeō, –īre, –iī *or* –īvī, –itum go out

exerceō, –ēre, exercuī, exercitum keep at work, train, exercise

exercitō, –āre, –āvī, –ātum train

exercitus, –ūs *m.* army

exhauriō, –īre, –hausī, –haustum drain off, remove

exiguus, –a, –um small

exīstimō, –āre, –āvī, –ātum think

expediō, –īre, –īvī, –ītum disengage, set free, bring forward, prepare

expellō, –ere, –pulī, –pulsum drive out

experior, –īrī, expertus sum try, experience

explōrātor, explōrātōris *m.* scout

explōrō, –āre, –āvī, –ātum seek to discover, explore

expōnō, –ere, –posuī, –positum set out, land, disembark

exposcō, –ere, –poposcī ask earnestly, implore

expugnō, –āre, –āvī, –ātum take by storm, capture

exsistō, –ere, –stitī, –stitum stand forth, appear, exist, be

exspectō, –āre, –āvī, –ātum wait for, expect

exstruō, –ere, –strūxī, –strūctum build, erect

exsul, exsulis *m.* exile

exterus, –a, –um on the outside, foreign

extrā *prep.* outside

exuō, –ere, exuī, exūtum take off, strip, despoil

F

fābula, –ae *f.* story

facilis, facile easy

facinus, facinoris *n.* deed, misdeed, crime

faciō, –ere, fēcī, factum make, do

facultās, facultātis *f.* opportunity, ability

fallō, –ere, fefellī, falsum deceive, escape the notice of, elude

fāma, –ae *f.* fame, rumor

famēs, famis *f.* hunger

familia, –ae *f.* family (*part of a gens*), household (*of slaves*), family property

familiāris, familiāris *m.* friend

fātum, –ī *n.* fate, death

fēlīx, fēlīcis happy, lucky

fēmina, –ae *f.* woman

fenestra, –ae *f.* window

ferē *adv.* almost

ferō, ferre, tulī, lātum bear

ferrāmentum, –ī *n.* tool, *made wholly or in part of iron*

ferreus, –a, –um of iron

ferrum, –ī *n.* iron, a thing made of iron, *e.g.*, a sword

ferus, –a, –um wild

ferveō, –ēre, boil, glow

fidēs, –eī *f.* faith, confidence

fīdō, –ere, fīsus sum trust

fidūcia, –ae *f.* confidence

fīdus, –a, –um trustworthy, faithful

figūra, –ae *f.* form, shape

fīlia, –ae *f.* daughter

fīlius, –ī *m.* son

fīnis, fīnis *m.* end *plu.* territory

fīnitimus, –a, –um neighboring

fīnitimus, –ī *m.* neighbor

fīō, fierī, factus sum be made, be done, happen, become

firmus, –a, –um strong, steady

flamma, –ae *f.* flame, a blazing fire

flōs, flōris *m.* flower

flūctus, -ūs *m.* wave
flūmen, flūminis *n.* river
fluō, -ere, flūxī flow
fōns, fontis *m.* fountain, spring
for, fārī, fātus sum say
forīs *adv.* out of doors, abroad, from without, from abroad
fors, fortis *f.* chance forte *adv.* by chance, accidentally, perhaps
fortasse *adv.* perhaps
fortis, forte brave, strong
fortiter *adv.* bravely
fortūna, -ae *f.* fortune
forum, -ī *n.* market place, forum
fossa, -ae *f.* ditch, entrenchment
frangō, -ere, frēgī, frāctum break
frāter, frātris *m.* brother
fraudō, -āre, -āvī, -ātum cheat, defraud
fremitus, -ūs *m.* loud noise, din
frētus, -a, -um relying on, depending on
frōns, frontis *f.* forehead, front
frūctus, -ūs *m.* fruit, enjoyment
frūmentārius, -a, -um of grain
frūmentum, -ī *n.* grain
frūstrā *adv.* in vain
fuga, -ae *f.* flight
fugiō, -ere, fūgī, fugitūrus flee
fūmus, -ī *m.* smoke
fungor, fungī, fūnctus sum perform

G

galea, -ae *f.* helmet
gaudium, -ī *n.* joy
geminus, -a, -um twin
geminus, -ī *m.* twin
genitor, genitōris *m.* father
gēns, gentis *f.* tribe
genus, generis *n.* birth, origin, kind
gerō, gerere, gessī, gestum carry, manage, wear, wage (war)
gladius, -ī *n.* sword
glōria, -ae *f.* glory, renown

grāmen, grāminis *n.* grass
grātia, -ae *f.* thanks, gratitude
  grātiā for the sake (of)
grātus, -a, -um pleasing
gravis, grave heavy, earnest
gravitās, gravitātis *f.* heaviness, severity, earnestness
graviter *adv.* heavily, severely
gubernātor, gubernātōris *m.* pilot

H

habeō, -ēre, habuī, habitum have, hold
habitō, -āre, -āvī, -ātum live
harpagō, harpagōnis *m.* hook
hasta, -ae *f.* spear
haud *adv.* not at all
herī *adv.* yesterday
heu *interj.* alas!
hīberna, -ōrum *n.* winter quarters
hic, haec, hoc this
hīc *adv.* here
hiemō, -āre, -āvī, -ātum winter, spend the winter
hiems, hiemis *f.* winter
hodiē *adv.* today
homō, hominis *m.* man
honestus, -a, -um honorable
honor, honōris *m.* honor
hōra, -ae *f.* hour
hortor, -ārī, hortātus sum urge
hortus, -ī *m.* garden
hospes, hospitis *m. a person bound by the ties of hospitium,* guest, host, friend
hospitium, -ī *n. the relation of host and guest,* friendship
hostis, hostis *m.* enemy
hūc *adv.* to this place
hūmilis, hūmile lowly, insignificant

I

iaceō, -ēre, iacuī lie
iaciō, -ere, iēcī, iactum throw

iactō, -āre, -āvī, -ātum throw repeatedly *with* **sē**, boast, make ostentatious display

iaculum, -ī *n.* javelin

iam *adv.* now, already

iānitor, iānitōris *m.* doorkeeper

iānua, -ae *f.* door

ibi *adv.* there

īdem, eadem, idem the same

idōneus, -a, -um suitable

igitur *conj.* therefore

ignis, ignis *m.* fire

ignōbilis, -e unknown, obscure

ille, illa, illud that

illigō, -āre, -āvī, -ātum bind on, attach

imāgō, imāginis *f.* likeness, figure, image

immānis, -e huge

immortālis, -e undying, immortal

impedīmentum, -ī *n.* hindrance *plu.* baggage

impediō, -īre, -īvī, -ītum hinder

impellō, -ere, -pulī, -pulsum urge on, drive on

imperātor, imperātōris *m.* general, commander

imperium, -ī *n.* command, power, control

imperō, -āre, -āvī, -ātum command

impetrō, -āre, -āvī, -ātum obtain

impetus, -ūs *m.* attack, charge

impluvium, -ī *n.* an impluvium, *basin in the middle of the floor of the atrium*

impōnō, -ere, -posuī, -positum place upon

imprōvīsus, -a, -um unexpected **dē imprōvīsō** unexpectedly

imprūdēns, imprūdentis not foreseeing

imprūdentia, -ae *f.* lack of foresight, ignorance

in *prep.* in, into

incendium, -ī *n.* fire

incendō, -ere, incendī, incēnsum set fire to

incertus, -a, -um uncertain

incipiō, -ere, -cēpī, -ceptum begin

incitō, -āre, -āvī, -ātum rouse, stir up

incolumis, -e unharmed

incommodē *adv.* disadvantageously

incommodum, -ī *n.* disadvantage

incrēdibilis, -e unbelievable, incredible

inde *adv.* from that place, from that time, thence, thereupon

indignus, -a, -um unworthy

induō, -ere, induī, indūtum put on

ineō, -īre, -iī, -itum go into, enter, enter upon

īnfāns, īnfantis *m. or f.* infant

īnferō, -ferre, -tulī, -lātum bring to, bring against, inflict, attack

īnferus, -a, -um low **īnferior** lower

īnfimus *or* **īmus** lowest, lowest part of

ingēns, ingentis large, huge

iniciō, -ere, -iēcī, -iectum throw on

inimīcus, -a, -um unfriendly, hostile

inimīcus, -ī *m.* enemy (personal)

inīquus, -a, -um uneven, unfair

iniūria, -ae *f.* wrong

iniussū without command

inquam *defective verb* I say

inrumpō, -ere, -rūpī, -ruptum break into

īnsidiae, -ārum *f.* ambush

īnsigne, īnsignis *n.* badge, decoration

īnsignis, -e distinguished, remarkable, outstanding

īnstituō, -ere, -stituī, -stitūtum set up, undertake, begin

īnstō, -āre, -stitī, -stātum stand on, threaten, press on

īnstrūmentum, -ī *n.* implement, tool

īnstruō, -ere, -strūxī, -strūctum build, equip, draw up

īnsula, -ae *f.* island, apartment house

integer, integra, integrum whole, unimpaired

intellegō, –ere, –lēxī, –lēctum understand

inter *prep.* between, among

intercēdō, –ere, –cessī, –cessum go between, intervene

intercipiō, –ere, –cēpī, –ceptum take between, intercept

interdum *adv.* sometimes

intereā *adv.* meanwhile

intereō, –īre, –iī, –itum perish, die

interficiō, –ere, –fēcī, –fectum kill

interim *adv.* in the meantime, meanwhile

interior, interius inner, inner part of

interitus, –ūs *m.* destruction

intermittō, –ere, –mīsī, –missum let go in between, let pass, neglect

interpres, interpretis *m.* agent, interpreter

intrā *prep. and adv.* within

introitus, –ūs *m.* entrance

intus *adv.* on the inside

inveniō, –īre, –vēnī, –ventum come upon, find

invītō, –āre, –āvī, –ātum invite

invītus, –a, –um unwilling

iō *interj.* ho! hurrah!

ipse, ipsa, ipsum himself, herself, itself, themselves

īrātus, –a, –um angry

is, ea, id this, that, such, he, she, it

iste, ista, istud that (near you)

ita *adv.* so

itaque *conj.* therefore

item *adv.* likewise

iter, itineris *n.* journey, march

iterum *adv.* again

iubeō, –ēre, iussī, iussum order

iūdicium, –ī *n.* judgment

iūdicō, –āre, –āvī, –ātum judge

iungō, –ere, iūnxī, iūnctum join

iūrō, –āre, –āvī, –ātum swear, take

an oath **iūs iūrandum, iūris iūrandī** *n.* an oath

iūs, iūris *n.* right, principle of justice

iūstitia, –ae *f.* justice

iuvenis, iuvenis *m.* young man

iuventūs, iuventūtis *f.* youth, *as distinguished from old age,* a body of young men

iuvō, –āre, iūvī, iūtum help, aid

L

lābor, lābī, lāpsus sum glide, slip

labor, labōris *m.* labor, toil, suffering

labōrō, –āre, –āvī, –ātum work, be in trouble

lacrima, –ae *f.* tear

lacrimō, –āre, –āvī, –ātum cry, weep

lacus, –ūs *m.* lake

laetitia, –ae *f.* happiness

laetus, –a, –um happy

languor, languōris *m.* weariness

lapis, lapidis *m.* stone

lateō, –ēre, latuī lie hid

latrō, latrōnis *m.* robber

lātus, –a, –um wide

latus, lateris *n.* side

laudō, –āre, –āvī, –ātum praise

laus, laudis *f.* praise

lavō, –āre, lāvī, lautum *or* **lōtum** bathe

lectīca, –ae *f.* litter, sedan

lēgātus, –ī *m.* lieutenant, ambassador

legiō, legiōnis *f.* legion

legō, –ere, lēgī, lēctum gather, catch (with eye or ear), read

lēnis, –e gentle, soft, mild

lēniter *adv.* gently, softly

levis, –e light, fickle

lēx, lēgis *f.* law

liber, librī *m.* book

līberī, –ōrum *m.* children

līberō, –āre, –āvī, –ātum set free

lībertās, lībertātis *f.* freedom, liberty

lībertus, –ī *m.* freedman

licet, –ēre, licuit it is permitted
lignātiō, lignātiōnis *f.* procuring of
   wood
lignātor, lignātōris *m.* a woodcutter,
   a man sent to get wood
lignum, –ī *n.* wood
līmen, līminis *n.* threshold
lingua, –ae *f.* tongue, language
littera, –ae *f.* letter (*of the alphabet*)
   plu. a letter
locuplēs, locuplētis rich in lands, rich
locus, –ī *m. plu.* loca, –ōrum *n.* place
longē *adv.* far
longinquus, –a, –um far-distant, long-
   continued
longitūdō, longitūdinis *f.* length
longus, –a, –um long
loquor, loquī, locūtus sum speak
lorīca, –ae *f.* a corselet, a breastwork
lūctus, –ūs *m.* grief
lūdō, –ere, lūsī, lūsum play
lūdus, –ī *m.* play, game, school
lūmen, lūminis *n.* light
lūna, –ae *f.* moon
lūx, lūcis *f.* light

M

maestus, –a, –um sad
magister, magistrī *m.* teacher (*man*)
magistrātus, –ūs *m.* public office,
   public official
magnitūdō, magnitūdinis *f.* largeness,
   size
magnus, –a, –um large, great
maior, maius greater maiōrēs, –um
   ancestors
malus, –a, –um bad
mandō, –āre, –āvī, –ātum commit to
   one's charge, entrust, command
māne *adv.* early, in the morning
maneō, –ēre, mānsī, mānsum stay,
   remain
manus, –ūs *f.* hand, band
mare, maris *n.* sea

maritimus, –a, –um of the sea, mari-
   time
marmor, marmoris *m.* marble
māter, mātris *f.* mother
māteria, –ae *f.* material, building
   material, wood
mātrimōnium, –ī *n.* marriage
mātūrō, –āre, –āvī, –ātum hasten
maximē *adv.* especially
mediocris, –e moderate
medius, –a, –um middle, middle of
memor, memoris mindful
memoria, –ae *f.* memory
mēns, mentis *f.* mind
mēnsa, –ae *f.* table
mercātor, mercātōris *m.* trader
mereō, –ēre, meruī, meritum deserve
merīdiēs, –ēī *m.* midday, noon, south
meritum, –ī *n.* service, merit
merx, mercis *f.* goods, merchandise,
   thing
metus, –ūs *m.* fear
meus, –a, –um my, mine
mīles, mīlitis *m.* soldier
mīlitāris, –e pertaining to a soldier,
   military
mīlle a thousand *plu.* mīlia, mīlium
   thousands
minuō, –ere, minuī, minūtum make
   smaller, diminish
mīrificus, –a, –um wonderful
miser, misera, miserum miserable,
   pitiable
mittō, –ere, mīsī, missum let go,
   send
mōbilitās, mōbilitātis *f.* ease of movement, speed, inconstancy
modo (modus) *adv.* only, just nōn
   modo ... sed etiam not only ...
   but also
modus, –ī *m.* manner, kind
moenia, moenium *n.* walls, fortifica-
   tions
mōlēs, mōlis *f.* mass, massive struc-
   ture, pier, mole

mōmentum, -ī n. movement, motion, moment

moneō, -ēre, -uī, -itum warn, advise

mōns, montis m. mountain

mōnstrō, -āre, -āvī, -ātum point out

montānus, -a, -um belonging to a mountain or mountains, mountainous

monumentum, -ī n. memorial, monument

mora, -ae f. delay

morior, morī or morīrī, mortuus sum die

moror, morārī, morātus sum delay

mors, mortis f. death

mōs, mōris m. custom

mōtus, -ūs m. movement, disturbance

moveō, -ēre, mōvī, mōtum move

mox adv. soon

mulier, mulieris f. woman

multitūdō, multitūdinis f. a great number

multus, -a, -um much plu. many

mūniō, -īre, -īvī, -ītum fortify

mūnītiō, mūnītiōnis f. fortifying, fortification

mūnus, mūneris n. duty

mūrālis, -e belonging to a wall

mūrus, -ī m. wall

mutuor, -ārī, -ātus sum obtain a loan, borrow

N

nam conj. for

nancīscor, nancīscī, nactus or nānctus sum get, obtain

nārrō, -āre, -āvī, -ātum relate, tell

nāscor, nāscī, nātus sum be born

nātiō, nātiōnis f. race, nation

natō, -āre, -āvī, -ātum swim

nātūra, -ae f. nature

nātus, -ūs m. birth

nauta, -ae m. sailor

nāvālia, nāvālium n. dock

nāvicula, -ae f. boat

nāvigium, -ī n. boat

nāvigō, -āre, -āvī, -ātum sail

nāvis, nāvis f. ship

nē conj. negative used with certain kinds of subjunctives, not, in order that . . . not

-ne enclitic sign of question

necessāriō adv. necessarily

necesse necessary

necō, -āre, -āvī, -ātum kill

neglegō, -ere, neglēxī, neglēctum neglect

negō, -āre, -āvī, -ātum say . . . not, refuse, deny

negōtium, -ī n. business, trouble, difficulty

nēmō, nēminis m. no one

nepōs, nepōtis m. grandson

neque conj. and . . . not, nor neque . . . neque neither . . . nor

nequedum adv. and not yet, not yet

neu or nēve conj. a negative used with certain kinds of subjunctive, nor, neither . . . nor

niger, nigra, nigrum black

nihil (also nihilum, -ī) n. nothing

nimis adv. too much

nisi conj. if . . . not, unless

nītor, nītī, nīsus or nīxus sum strive

nix, nivis f. snow

nōbilis, -e well-known, distinguished, noble

noceō, -ēre, -uī, -itum harm

noctū at night

nocturnus, -a, -um belonging to the night, nocturnal

nōlō, nōlle, nōluī be unwilling

nōmen, nōminis n. name

nōminātim adv. by name

nōn adv. not

nōndum adv. not yet

nōngentī, -ae, -a nine hundred

nōnus, -a, -um ninth

nōscō, -ere, nōvī, nōtum know

noster, nostra, nostrum our, ours

nōtus, -a, -um known, famous
novem nine
novus, -a, -um new
nox, noctis f. night
nūbēs, nūbis f. cloud
nūdō, -āre, -āvī, -ātum lay bare
nūllus, -a, -um no, none
nūmen, nūminis n. divine will, divine
  presence
numerus, -ī m. number
numquam adv. never
nunc adv. now
nūntiō, -āre, -āvī, -ātum announce
nūntius, -ī m. messenger, message
nusquam adv. nowhere
nūtrīx, nūtrīcis f. nurse
nūtus, -ūs m. a nod, a beckoning

O

ob prep. against, on account of
obeō, -īre, -iī, -itum go to meet,
  meet, perform
obiciō, -ere, -iēcī, -iectum throw
  against
obiectātiō, obiectātiōnis f. reproach
oblectō, -āre, -āvī, -ātum delight
obscūrus, -a, -um dark, obscure
obsecrō, -āre, -āvī, -ātum beseech,
  implore
observō, -āre, -āvī, -ātum heed, ob-
  serve
obses, obsidis m. hostage
obsideō, -ēre, -sēdī, -sessum sit
  against, hem in, blockade, besiege
obsidiō, obsidiōnis f. siege
obstruō, -ere, -strūxī, -strūctum
  build up against, barricade
occāsiō, occāsiōnis f. opportunity
occīdō, -ere, -cīdī, -cīsum cut down,
  kill
occulō, -ere, occuluī, occultum conceal,
  hide
occupō, -āre, -āvī, -ātum seize
occurrō, -ere, -currī, -cursum meet

octāvus, -a, -um eighth
octō eight
oculus, -ī m. eye
offēnsiō, offēnsiōnis f. failure, dis-
  favor
officium, -ī n. duty, service
oleum, -ī n. oil
ōlim adv. at that time, once upon a
  time
omnīnō adv. in all
omnis, -e all, every
onerārius, -a, -um connected with a
  burden nāvis onerāria transport
  ship, merchant ship
onus, oneris n. burden, load
opera, -ae f. service, care, attention
opīniō, opīniōnis f. opinion, expecta-
  tion
oportet, -ēre, oportuit it is necessary
oppidum, -ī n. town
opportūnus, -a, -um advantageous,
  suitable, opportune
opprimō, -ere, -pressī, -pressum press
  against, press down, overpower
oppugnātiō, oppugnātiōnis f. an at-
  tacking, an attack
oppugnō, -āre, -āvī, -ātum attack
ops, opis f. ability, influence, re-
  sources, help
optō, -āre, -āvī, -ātum wish
opus, operis n. work opus est there
  is need
ōra, -ae f. boundary, coast, shore
ōrātiō, ōrātiōnis f. plea, speech
orbis, orbis m. circle orbis terrārum
  the world, the universe
ōrdō, ōrdinis m. row, line, order, class
orior, orīrī, ortus sum arise, spring
ōrnō, -āre, -āvī, -ātum adorn, equip
ōrō, -āre, -āvī, -ātum plead, pray
ōs, ōris n. mouth
ōsculum, -ī n. kiss
ostendō, -ere, ostendī, ostentum
  show
ostentō, -āre, -āvī, -ātum show

P

pācō, -āre, -āvī, -ātum pacify, subdue
paene *adv.* almost
paenitet, -ēre, paenituit it repents
palam *adv.* openly
palūs, palūdis *f.* swamp, marsh
pār, paris equal
parātus, -a, -um prepared, ready
parcō, -ere, pepercī, parsūrus spare
pāreō, -ēre, -uī obey
pariēs, parietis *m.* wall
pariō, -ere, peperī, partum bring forth, produce
parō, -āre, -āvī, -ātum prepare
pars, partis *f.* part
particeps, participis participant, sharing. *Used as a noun also.*
parum *adv.* too little
parvulus, -a, -um very small
parvus, -a, -um small
passus, -ūs *m.* pace (*about five feet*)
pāstor, pāstōris *m.* shepherd
pater, patris *m.* father
patior, patī, passus sum endure, allow
patria, -ae *f.* fatherland
patrōnus, -ī *m.* patron
patruus, -ī *m.* uncle (*paternal*)
paucī, -ae, -a few, a few
paucitās, paucitātis *f.* fewness, scarcity
paulātim *adv.* little by little, gradually
paulō *adv.* a little, somewhat
paulum *adv.* a little, somewhat
pauper, pauperis poor
pavīmentum, -ī *n.* floor, pavement
pāx, pācis *f.* peace
pectus, pectoris *n.* breast, heart, soul
pecūnia, -ae *f.* money
pecūniārius, -a, -um pertaining to money, pecuniary
peditātus, -ūs *m.* infantry
pelagus, -ī *n.* sea
pellō, -ere, pepulī, pulsum drive, defeat

per *prep.* through
perdō, -ere, perdidī, perditum lose
perdūcō, -ere, -dūxī, -ductum lead through
perferō, -ferre, -tulī, -lātum carry through, endure
perficiō, -ere, -fēcī, -fectum finish
perfugiō, -ere, -fūgī, -fugitūrus flee for refuge, desert
perfugium, -ī *n.* place of refuge
perīculōsus, -a, -um dangerous
perīculum, -ī *n.* danger
peristȳlium, -ī *n.* peristyle, *the open court or garden within the Roman house*
perītus, -a, -um skilled
perlegō, -ere, -lēgī, -lēctum examine, read through
permittō, -ere, -mīsī, -missum let go through, allow, permit
permoveō, -ēre, -mōvī, -mōtum move thoroughly
perpetuus, -a, -um continuous, abiding in perpetuum forever
persevērō, -āre, -āvī, -ātum continue steadfastly, persevere
perspiciō, -ere, -spexī, -spectum see through, look at closely
persuādeō, -ēre, -suāsī, -suāsum persuade
perterreō, -ēre, -terruī, -territum terrify thoroughly
perturbō, -āre, -āvī, -ātum throw into confusion, disturb
perveniō, -īre, -vēnī, -ventum come through, arrive
pēs, pedis *m.* foot
petō, -ere, petīvī *or* petiī, petītum seek
pictūra, -ae *f.* picture
pīlum, -ī *n.* javelin
pinna, -ae *f.* feather, wing, bulwark
placeō, -ēre, placuī, placitum please
plaudō, -ere, plausī, plausum clap
plēbs, plēbis *f.* the common people

plēnus, -a, -um full

plērumque *adv.* for the most part, generally

poēta, -ae *m.* poet

polliceor, -ērī, pollicitus sum promise

pollicitātiō, pollicitātiōnis *f.* promise

pondus, ponderis *n.* weight

pōnō, -ere, posuī, positum place, put, pitch (a camp)

pons, pontis *m.* bridge

populus, -ī *m.* a people

porta, -ae *f.* gate

porticus, -ūs *f.* a walk covered by a roof which is supported by columns, a colonnade

portō, -āre, -āvī, -ātum carry

portus, -ūs *m.* harbor

poscō, -ere, poposcī demand

possum, posse, potuī be able

post *prep.* after, behind

posteā *adv.* afterwards

posterus, -a, -um next, later

postquam *conj.* after

postrīdiē *adv.* on the day after

postulō, -āre, -āvī, -ātum demand

potestās, potestātis *f.* power

potis able, possible potior preferable

potius rather, preferably

prae *prep.* before, in comparison with

praebeō, -ēre, -uī, -itum furnish, supply, show

praeceptum, -ī *n.* command

praecō, praecōnis *m.* crier, herald

praeda, -ae *f.* booty

praedō, praedōnis *m.* robber

praefectus, -ī *m.* commander (of cavalry), director

praeficiō, -ere, -fēcī, -fectum place in command

praefringō, -ere, -frēgī, -frāctum break off before, shiver

praemittō, -ere, -mīsī, -missum send forward

praemium, -ī *n.* reward

praesentia, -ae *f.* presence, present

praesertim *adv.* especially

praesidium, -ī *n.* defense, protection, garrison

praesum, -esse, -fuī, -futūrus be at the head of

praeter *prep.* beyond, past

praetereō, -īre, -iī, -itum go past, pass over

praetexō, -ere, -texuī, -textum weave before, border

praetor, praetōris *m.* a praetor, a Roman official somewhat corresponding to a judge

praeūrō, -ere, -ussī, -ustum burn at the end

prehendō, -ere, prehendī, prehēnsum seize

premō, -ere, pressī, pressum press, press hard

prīdem *adv.* long ago

prīdiē *adv.* on the day before

prīmus, -a, -um first prīmō at first

prīmum first, for the first time

prīnceps, prīncipis *adj. and noun m.* chief

prīncipātus, -ūs *m.* chief place (in a state)

prīstinus, -a, -um former, original

prius *adv.* before

priusquam *conj.* before

prīvō, -āre, -āvī, -ātum deprive

prīvātus, -ī *m.* a private citizen

prō *prep.* in front of, in behalf of

probō, -āre, -āvī, -ātum prove, approve

prōcēdō, -ere, -cessī, -cessum go forward

procul *adv.* at a distance, far away

prōcurrō, -ere, -currī, -cursum run forward

prōdeō, -īre, -iī, -itum go forth

prōdūcō, -ere, -dūxī, -ductum lead forth

proelium, -ī *n.* battle

profectiō, profectiōnis *f.* departure

proficīscor, proficīscī, profectus sum
set out, start
profiteor, –ērī, professus sum declare
publicly
prōfugiō, –ere, –fūgī, –fugitūrus flee
forth
prōgredior, –ī, –gressus sum step
forward, advance
prohibeō, –ēre, –hibuī, –hibitum hold
in check, prevent, forbid
prōiciō, –ere, –iēcī, –iectum throw
forward, cast forth, stretch out
proinde adv. just, accordingly
prōnūntiō, –āre, –āvī, –ātum proclaim
prope prep. near
properō, –āre, –āvī, –ātum hasten
propinquus, –ī m. kinsman, relative
prōpōnō, –ere, –posuī, –positum set
forth
propter prep. on account of, because
of
proptereā adv. on this account
prōra, –ae f. prow
prōsequor, –ī, –secūtus sum follow,
attend, pursue
prōspiciō, –ere, –spexī, –spectum look
forth
prōveniō, –īre, –vēnī, –ventum come
forth, be produced
prōvideō, –ēre, –vīdī, –vīsum foresee,
provide for
prōvincia, –ae f. province
proximē adv. next, shortly before,
shortly after
proximus, –a, –um nearest, next
pūblicus, –a, –um public
pudor, pudōris m. a sense of shame
puer, –ī m. boy
pugna, –ae f. fight, battle
pugnō, –āre, –āvī, –ātum fight
pulcher, pulchra, pulchrum beautiful
pulchrē adv. beautifully
puppis, puppis f. stern
purpura, –ae f. purple
putō, –āre, –āvī, –ātum think

Q

quadrirēmis, –is a quadrireme, f. a
vessel having four banks of oars
quaerō, –ere, quaesīvī, quaesītum
seek, ask
quaestor, quaestōris m. quaestor,
treasurer
quaestus, –ūs m. gain, profit, business
quālis, –e of what sort?
quam adv. and conj. how! as, than
quamquam conj. although
quandō adv. and conj. when? when,
since, at any time
quantus, –a, –um how great
quantusvīs, –avīs, –umvīs however
great you please
quārē (quā rē) on account of which
thing, wherefore
quārtus, –a, –um fourth
quattuor four
–que conj. and
queror, querī, questus sum complain
quī, quae, quod who, which, that
quīcumque, quaecumque, quodcum-
que whoever, whatever
quīdam, quaedam, quoddam a certain
quidem adv. certainly, at least nē . . .
quidem not even
quiēs, quiētis f. rest, quiet, sleep
quīn conj. but that, that
quīndecim fifteen
quīnquāgintā fifty
quīnque five
quīnquerēmis, –is f. a quinquereme,
a vessel having five banks of oars
quis, quid who? what? After sī, nisi,
nē, num any (one), any (thing)
quisquam, quicquam anyone, any-
thing
quisque, quaeque, quodque each
quisque, quidque each one
quoad conj. as long as
quod conj. because

quondam *adv.* once, sometimes
quoniam *conj.* since
quoque *adv.* also
quŏquŏversus *adv.* in every direction
quot how many? tot ... quot as many
... as
quotiēns *adv. and conj.* how often, as
often as

R

rapiō, −ere, −uī, raptum seize
ratiō, ratiōnis *f.* reckoning, business,
plan, reason, system of knowledge
recēdō, −ere, −cessī, −cessum go
back
recēns, recentis fresh, young, recent
recidō, −ere, reccidī, recāsum fall
back
recipiō, −ere, −cēpī, −ceptum take
back, receive
recitō, −āre, −āvī, −ātum read out
(*in public*)
recūsō, −āre, −āvī, −ātum make objec-
tion to, refuse
reddō, −ere, reddidī, redditum give
back, render
redeō, −īre, −iī *or* −īvī, −itum go back,
return
redūcō, −ere, −dūxī, −ductum lead
back
referō, −ferre, rettulī, relātum bring
back, repay, reply *with* grātiam
show gratitude (*by deeds*)
reficiō, −ere, −fēcī, −fectum rebuild,
repair
refugiō, −ere, −fūgī, −fugitūrus flee
back
rēgīna, −ae *f.* queen
regiō, regiōnis *f.* boundary, territory,
region
rēgnum, −ī *n.* kingship, kingdom
regō, −ere, rēxī, rēctum rule
religō, −āre, −āvī, −ātum bind
relinquō, −ere, relīquī, relictum leave,
abandon

reliquus, −a, −um remaining, rest of
remaneō, −ēre, −mānsī, −mānsūrus
stay behind, remain
rēmex, rēmigis *m.* oarsman, rower
remittō, −ere, −mīsī, −missum send
back
removeō, −ēre, −mōvī, −mōtum move
back, remove
rēmus, −ī *m.* oar
repellō, −ere, reppulī, repulsum drive
back
repente *adv.* suddenly
repentīnus, −a, −um sudden
reperiō, −īre, repperī, repertum find
repetō, −ere, −petīvī *or* −petiī, −petī-
tum seek again
reprehendō, −ere, −prehendī, −pre-
hēnsum find fault with, blame
rēs, reī *f.* thing
reservō, −āre, −āvī, −ātum keep back,
reserve
resistō, −ere, restitī resist
respiciō, −ere, −spexī, −spectum look
back at
respondeō, −ēre, −spondī, −spōnsum
reply
restituō, −ere, −uī, −ūtum restore
retineō, −ēre, −tinuī, −tentum hold
back, retain
revertō, −ere, −vertī, −versum return
rēx, rēgis *m.* king
rīdeō, −ēre, rīsī, rīsum laugh, smile
rīpa, −ae *f.* bank (*of river*)
rīvus, −ī *m.* stream, brook
rogō, −āre, −āvī, −ātum ask
rōstrum, −ī *n.* beak
ruīna, −ae *f.* downfall, collapse, ruin
ruō, −ere, ruī, rūtum tumble down,
rush
rūrsum *or* rūrsus *adv.* back, again
rūs, rūris *n.* country

S

sacer, sacra, sacrum sacred
saepe *adv.* often

saevus, –a, –um fierce, savage
sagitta, –ae f. arrow
sagittārius, –ī m. archer
sagulum, –ī n. cloak, *a small military cloak*
saltō, –āre, –āvī, –ātum dance
salūs, salūtis f. safety
salūtō, –āre, –āvī, –ātum greet, salute
salvē, salvēte hail
sanguis, sanguinis m. blood
sapiēns, sapientis wise
sapienter adv. wisely
sapiō, –ere, sapīvī have taste, be wise
satis enough
saxum, –ī n. rock
scaena, –ae f. stage, theater
scelus, sceleris n. evil deed, wickedness, sin
schola, –ae f. school
scientia, –ae f. knowledge
scīlicet adv. of course, to be sure
scindō, –ere, scidī, scissum tear
sciō, –īre, scīvī, scītum know
scrībō, –ere, scrīpsī, scrīptum write
scūtum, –ī n. shield
sēcernō, –ere, –crēvī, –crētum separate sēcrētō separately, secretly
secundus, –a, –um second
secus following, later nihilō setius nonetheless
sed conj. but
sedeō, –ēre, sēdī, sessum sit
sēdēs, sēdis f. seat, dwelling place
semper adv. always
senātus, –ūs m. senate
senectūs, senectūtis f. old age
senex, senis old
senex, senis m. old man
sententia, –ae f. opinion, decision
sentiō, –īre, sēnsī, sēnsum feel
septem seven
septendecim seventeen
sequor, sequī, secūtus sum follow
serēnus, –a, –um calm, serene
sermō, sermōnis m. conversation

sērō adv. late
sērus, –a, –um late
serva, –ae f. slave woman
servō, –āre, –āvī, –ātum save
servus, –ī m. slave
sex six
sexāgintā sixty
sī conj. if
sīc adv. so
siccitās, siccitātis f. dryness, drought
sīcut (sīcutī) conj. just as
sīdus, sīderis n. star, constellation
significātiō, significātiōnis f. indication
signum, –ī n. sign, signal, standard
sileō, –ēre, siluī be silent
silva, –ae f. woods, forest
similis, –e like, similar
simul adv. at the same time
simulācrum, –ī n. image
simulātiō, simulātiōnis f. pretense
sīn conj. but if
sine prep. without
singulāris, –e one at a time, single, alone of its kind, extraordinary
singulī, –ae, –a one each, one at a time
sinister, sinistra, sinistrum left
sinō, –ere, sīvī or siī, situm permit
sīve or seu conj. or if sīve . . . sīve whether . . . or
socius, –ī m. ally, comrade
sōl, sōlis m. sun
sōlācium, –ī n. comfort, solace
sōlum adv. only
sōlus, –a, –um alone, only
somnus, –ī m. sleep
sonitus, –ūs m. sound
soror, sorōris f. sister
spatium, –ī n. space
speciēs, –ēī f. view, appearance
spectō, –āre, –āvī, –ātum look at
speculātor, speculātōris m. spy
spērō, –āre, –āvī, –ātum hope
spēs, speī f. hope

splendidus, -a, -um shining

sponte of one's own free will

statim *adv.* immediately

statiō, statiōnis *f.* post

statua, -ae *f.* statue

statuō, -ere, statuī, statūtum set, establish, decide

stella, -ae *f.* star

sternō, -ere, strāvī, strātum spread out via strāta paved road

stīpendium, -ī *n.* tax, income, pay, military service

stlīs, stlītis *f.* (*later written* līs, lītis) lawsuit, civil suit

stō, stāre, stetī, stātūrus stand

strāmentum, -ī *n.* straw

strātum, -ī *n.* (*from* sternō) a covering, a couch

studeō, -ēre, -uī be eager for, apply one's self to

studium, -ī *n.* eagerness, zeal, devotion, study

stultus, -a, -um foolish

sub *prep.* under, from under, up to

subitō *adv.* suddenly

subsequor, -sequī, -secūtus sum follow closely

subsidium, -ī *n.* reserve troops, help

subsum, -esse, -fuī, -futūrus be near

succēdō, -ere, -cessī, -cessum go up to, come next, succeed

succurrō, -ere, -currī, -cursum run to, aid

sudis, sudis *f.* stake

sufferō, -ferre, sustulī, sublātum endure

suī *gen. case of reflexive* himself, herself, itself, themselves

sum, esse, fuī, futūrus be

summa, -ae *f.* pre-eminence, chief command

summus, -a, -um highest, top of

sūmō, -ere, sūmpsī, sūmptum take up, take

superō, -āre, -āvī, -ātum overcome

superus, -a, -um above, upper

supportō, -āre, -āvī, -ātum carry, convey

suprā *adv.* above

surgō, -ere, surrēxī, surrēctum arise

suscipiō, -ere, -cēpī, -ceptum undertake

suspīciō, suspīciōnis *f.* suspicion

sustineō, -ēre, -tinuī, -tentum uphold, sustain, restrain, withstand

suus, -a, -um his, her, its, their (own)

T

taberna, -ae *f.* shop, tavern

tabula, -ae *f.* board, tablet

taceō, -ēre, tacuī, tacitum be silent

tālis, -e such

tam *adv.* so

tamen *conj.* however, nevertheless

tamquam *conj.* as if

tandem *adv.* at last

tantum *adv.* only

tantus, -a, -um so great

tardē *adv.* slowly

tarditās, tarditātis *f.* slowness

tardus, -a, -um slow, lingering

tēctum, -ī *n.* house

tegō, -ere, tēxī, tēctum cover

tellūs, tellūris *f.* earth, land

tēlum, -ī *n.* weapon

temere *adv.* rashly

tempestās, tempestātis *f.* weather, storm

templum, -ī *n.* temple

temptō, -āre, -āvī, -ātum try

tempus, temporis *n.* time

tendō, -ere, tetendī, tentum (tēnsum) stretch out

teneō, -ēre, tenuī, tentum hold

tergum, -ī *n.* back

terra, -ae *f.* land

terreō, -ēre, terruī, territum frighten, terrify

tertius, -a, -um third

testimōnium, -ī *n.* proof, testimony
testūdō, testūdinis *f.* a tortoise,
testudo, *a military defense*
timeō, -ēre, timuī fear
timidus, -a, -um fearful, timid
timor, timōris *m.* fear
toga, -ae *f.* toga, *the outer garment of
a Roman man*
tollō, -ere, sustulī, sublātum lift,
raise, destroy
torreō, -ēre, torruī, tostum dry up,
parch, scorch
tot so many
tōtus, -a, -um whole, entire
trāgula, -ae *f.* javelin
trahō, -ere, trāxī, tractum draw
trāiciō, -ere, -iēcī, -iectum throw
across, pierce
trāns *prep.* across
**trānscendō, -ere, trānscendī, trān-
scēnsum** climb across
trānscurrō, -ere, -currī, -cursum run
across
trānseō, -īre, -iī *or* **-īvī, -itum** go
across
trānsfīgō, -ere, -fīxī, -fīxum pierce
through
trepidō, -āre, -āvī, -ātum hurry with
alarm, bustle about
trēs, tria three
tribūnus, -ī *m.* tribune, commander
trīgintā thirty
trīnī, -ae, -a (*also* **ternī, -ae, -a**)
three each, three
trirēmis, -e having three banks of
oars
trirēmis, -is *f.* trireme, *a vessel having
three banks of oars*
trīstis, -e sad
tū, tuī you
tueor, tuērī, tūtus sum watch, protect
tum *adv.* then
tumulus, -ī *n.* a mound of earth
turpis, -e base
turris, turris *f.* tower

tūtus, -a, -um safe
tuus, -a, -um your, yours

U

ubi *adv.* where?
ubi *conj.* when, where
ubīque *adv.* everywhere
ulcīscor, ulcīscī, ultus sum take
vengeance on
ūllus, -a, -um any
ulterior, ulterius farther
ultrō *adv.* voluntarily
ululātus, -ūs *m.* howling, wailing,
shrieking
umbra, -ae *f.* shade
ūmidus, -a, -um moist, wet
umquam *adv.* ever
unda, -ae *f.* wave
unde *adv.* from which place, whence
ūndecim eleven
undique *adv.* from all sides, on all
sides
ūniversus, -a, -um all together
ūnus, -a, -um one, only
urbs, urbis *f.* city
usque *adv.* all the way, up to
ūsus, -ūs *m.* use
ut *or* **utī** *conj.* as, when, in order that,
so that, how
uter, utra, utrum which (of two)?
uterque, utraque, utrumque each (of
two)
ūtor, ūtī, ūsus sum use
utrimque *adv.* on both sides
utrum *conj.* whether
uxor, uxōris *f.* wife

V

vacuus, -a, -um empty, vacant
valeō, -ēre, -uī, -itūrus be strong
valē, valēte farewell
validus, -a, -um strong
vallēs, vallis *f.* valley

vāllum, -ī *n.* earthwork, rampart
vāstō, -āre, -āvī, -ātum lay waste
vāstus, -a, -um unoccupied, huge, vast
vātēs, vātis *m. or f.* seer, prophet, prophetess
vehemēns, vehementis violent
vehementer *adv.* violently, very much
vehō, -ere, vexī, vectum carry
vel *conj.* or
vēlōciter *adv.* quickly
vēlum, -ī *n.* sail
vēndō, -ere, vēndidī, vēnditum sell
veniō, -īre, vēnī, ventum come
ventus, -ī *m.* wind
verbum, -ī *n.* word
vereor, verērī, veritus sum fear
vērō *adv.* truly; but
versō, -āre, -āvī, -ātum (*also* **versor, versārī, versātus sum**) turn again and again, be busy, be
vertō, -ere, vertī, versum turn
vērus, -a, -um true
vesper, vesperī *m.* evening
vester, vestra, vestrum your, yours (*referring to more than one person*)
vēstibulum, -ī *n.* vestibule
vēstīgium, -ī *n.* footstep, step, track, trace, instant
vestis, vestis *f.* a covering, clothing
vetus, veteris old
via, viae *f.* road
victor, victōris *m.* victor

victōria, -ae *f.* victory
vīcus, -ī *m.* village
videō, -ēre, vīdī, vīsum see *passive* seem
vigil, vigilis *m.* watchman
vigilia, -ae *f.* watch
vīgintī twenty
vīlla, -ae *f.* country house
vincō, -ere, vīcī, victum conquer
vinculum, -ī *n.* bond, chain
vīnea, -ae *f.* shed
vīnum, -ī *n.* wine
vir, virī *m.* man
virtūs, virtūtis *f.* manliness, courage
vīs, vīs *f.* force, strength, energy
vīsitō, -āre, -āvī, -ātum visit
vīta, -ae *f.* life
vītō, -āre, -āvī, -ātum avoid
vīvō, -ere, vīxī, vīctum live
vix *adv.* scarcely, with difficulty
vocābulum, -ī *n.* designation, name
vocō, -āre, -āvī, -ātum call
volō, velle, voluī wish, will
volō, -āre, -āvī, -ātum fly
voluntās, voluntātis *f.* will, disposition, *usually* of good will
volvō, -ere, volvī, volūtum roll
vox, vōcis *f.* voice
vulnerō, -āre, -āvī, -ātum wound
vulnus, vulneris *n.* wound
vultus, -ūs *m.* expression of face, countenance

VOCABULARY OF PROPER NAMES

A

Achillās, -ae *m.* Achillas, *an Egyptian*

Adbucillus, -ī *m.* Adbucillus, *a nobleman of the Allobroges*

Aegyptius, -ī *m.* an Egyptian

Āfrica, -ae *f.* Africa

Albicī, -ōrum *m.* the Albici, *a tribe who lived in the mountains above Marseilles*

Alexandrīa, -ae *f.* Alexandria, *a city in Egypt*

Allobrogēs, -um *m.* the Allobroges, *a Gallic nation who lived about Geneva*

Ambiorīx, Ambiorīgis *m.* Ambiorix, *a chief of the Eburones*

Arelate *indecl. n.* Arelate, *a city north of Marseilles, modern Arles*

Arpineius, -ī *m.* Gaius Arpineius, *a Roman, member of the equestrian order*

Asia, -ae *f.* Asia

Athēnae, -ārum *f.* Athens

Athēniēnsis, -is *m. and f.* an Athenian

Atrebātēs, -ium *m.* the Atrebates, *a Gallic nation who lived about modern Artois*

Atuatucī, -ōrum *m.* the Atuatuci, *a Gallic nation who lived in part of the territory of modern Belgium*

B

Bellovacī, -ōrum *m.* the Bellovaci, *a Gallic nation who lived about modern Beauvais*

Boduācus, -ī *m.* Boduacus, *a Gallic chief*

Britannia, -ae *f.* Britain

Brūtus, -ī *m.* Decimus Brutus, *the commander of Caesar's fleet*

C

Caesar, Caesaris *m.* Gaius Julius Caesar, *Roman general, proconsul of Gaul*

Catilīna, -ae *m.* Lucius Sergius Catiline, *a Roman noble who made a conspiracy against the state*

Catuvolcus, -ī *m.* Catuvolcus, *a chief of the Eburones*

Cicerō, Cicerōnis *m.* Marcus Tullius Cicero, *the Roman orator;* Quintus Tullius Cicero, *brother of the orator*

Clōdius, -ī *m.* Sextus Clodius, *a Roman schoolmaster*

Cotta, -ae *m.* Lucius Aurunculeius Cotta, *a lieutenant in Caesar's army*

Crassus, -ī *m.* Marcus Crassus, *quaestor in Caesar's army*

D

Domitius, -ī *m.* Lucius Domitius Ahenobarbus, *a general serving under Pompey*

Dyrrachium, -ī *n.* Dyrrachium, *a seaport on the west coast of Greece, now Durazzo*

E

Eburōnēs, -um *m.* the Eburones, *a Gallic nation whose territory extended from modern Liége to Aix-la-Chapelle*

Egus, -ī *m.* Egus, *one of the Allobroges with Caesar*

Ennius, -ī *m.* Ennius, *a Roman poet*

Epidius, -ī *m.* Marcus Epidius, *a Roman schoolmaster*

141

F

Fabius, -ī *m.* Gaius Fabius, *a lieutenant in Caesar's army*
Fēlīx, Fēlīcis *m.* Felix, *a slave*

G

Gallia, -ae *f.* Gaul
Gallicus, -a, -um Gallic
Gallus, -ī *m.* a Gaul
Germānus, -ī *m.* a German
Graecia, -ae *f.* Greece
Graecus, -a, -um Greek
Graecus, -ī, *m.* a Greek

H

Hispānia, -ae *f.* Spain
Hispānus, -a, -um Spanish
Homērus, -ī *m.* Homer, *a Greek poet*
Horātius, -ī *m.* Quintus Horatius Flaccus, *usually known as Horace in English, a Roman poet*

I

Ilerda, -ae *f.* Ilerda, *a city in Spain, modern Lerida*
Indūtiomārus, -ī *m.* Indutiomarus, *a chief of the Treveri*
Italia, -ae *f.* Italy
Italicus, -a, -um Italian
Iūnius, -ī *m.* Quintus Junius, *a Roman of Spanish birth in Caesar's army*

L

Labiēnus, -ī *m.* Titus Atius Labienus, *a lieutenant in Caesar's army*
Laelia, -ae *f.* Laelia, *the mother of Quintus*
Lār, Laris *m.* Lar, *one of the gods of the home*
Latīnus, -a, -um Latin

M

Mārtius, -a, -um of Mars; **Campus Mārtius,** the Campus Martius, *the large open space on the Tiber used by the Romans for exercise grounds*
Massilia, -ae *f.* Massilia, *modern Marseilles*
Massiliēnsis, -is *m.* an inhabitant of Massilia
Minerva, -ae *f.* Minerva, *goddess of wisdom*
Mosa, -ae *m.* the River Meuse
Mūcius, -ī *m.* Mucius, *a Roman nomen*

N

Naevius, -ī *m.* Naevius, *an early Roman poet*
Nāsīdiānus, -a, -um belonging to Nasidius, *a commander serving under Pompey*
Nerviī, -ōrum *m.* the Nervii, *a Gallic tribe who lived in modern Belgium*

O

Oedipus, -ī *m.* Oedipus, *a king of Thebes*

P

Padus, -ī *m.* the River Po
Parthenon, Parthenōnis, *m.* the Parthenon, *the temple of Minerva on the Acropolis at Athens*
Penātēs, Penātium *m.* Penates, *gods of the household*
Petrosidius, -ī *m.* Lucius Petrosidius, *a standard bearer in Caesar's army*
Pharus or **Pharos, -ī** *f.* Pharos, *an island near Alexandria on which there was a lighthouse;* lighthouse
Pompeius, -ī *m.* Gnaeius Pompey, *an*

interpreter under Sabinus; Gnaeius Pompey, *leader of the senatorial faction against Caesar*

Praeneste, –is *f. and n.* Praeneste, *a town east and slightly south of Rome*

Pullō, Pullōnis *m.* Titus Pullo, *a centurion in Caesar's army*

Q

Quiēta, –ae *f.* Quieta *(the quiet one), name of a nurse, the mother of Felix*

Quīntus, –ī *m.* Quintus, *a Roman praenomen*

R

Rēmī, –ōrum *m.* the Remi, *a Gallic nation who lived about modern Rheims*

Rhēnus, –ī *m.* the Rhine River

Rhodanus, –ī *m.* the Rhone River

Rōma, –ae *f.* Rome

Rōmānus, –a, –um Roman

Rōmānus, –ī *m.* a Roman

Roucillus, –ī *m.* Roucillus, *one of the Allobroges with Caesar*

S

Sabīnus, –ī *m.* Quintus Titurius Sabinus, *a lieutenant in Caesar's army*

Samarobrīva, –ae *f.* Samarobriva, *a Gallic town, modern Amiens*

Scaevola, –ae *m.* Scaevola, *a Roman*

cognomen; Q. Mūcius Scaevola, *the most eminent member of the family, one of the greatest jurists of Rome*

Sicilia, –ae *f.* Sicily

T

Thēbae, –ārum *f.* Thebes, *a city of Boeotia in Greece*

Theocritus, –ī *m.* Theocritus, *a Greek poet who lived in Sicily*

Thessalia, –ae *f.* Thessaly, *a district of Greece*

Trebōnius, –ī *m.* Gaius Trebonius, *a lieutenant in Caesar's army in charge of the land forces at Massilia*

Trēverī, –ōrum *m.* the Treveri, *a nation of Gauls living about modern Treves*

Troiānus, –a, –um Trojan

U

Ulixēs, –eī *m.* Ulysses, *a Greek hero*

V

Vergilius, –ī *m.* Publius Vergilius Maro, *a Roman poet*

Verticō, Verticōnis *m.* Vertico, *a member of the tribe of the Nervii*

Volusēnus, –ī *m.* Gaius Volusenus, *a commander of cavalry under Caesar*

Vorēnus, –ī *m.* Lucius Vorenus, *a centurion in Caesar's army*